W. J. van Emden
Reading
6/6/88

Collection Unichamp
13

SUR «LA FARCE DE MAÎTRE PIERRE PATHELIN»

Dans la même collection :

1. Jean MILLY
La phrase de Proust.

2. Pierre BRUNEL
Rimbaud, projets et réalisations.

3. Pierre-Louis REY
A l'ombre des jeunes filles en fleurs, étude critique.

4. Sous la direction de Jean DUFOURNET
Etudes sur le *Roman de la Rose.*

5. Marie-Claire DUMAS
Etude de *Corps et biens* de Robert Desnos.

6. Etudes recueillies par Jean DUFOURNET
Approches du *Lancelot* en prose.

7. Etudes recueillies par Madeleine LAZARD
Autour des *Hymnes* de Ronsard.

8. Relire le *Roman d'Enéas.*
Etudes recueillies par Jean DUFOURNET.

9. Bernard CROQUETTE
Etude du livre III des *Essais* de Montaigne.

10. Jacques MONFERIER
François Mauriac, du *Noeud de Vipères* à *La Pharisienne.*

11. Bernadette PLOT
Ecrire une thèse ou un mémoire en sciences humaines.

12. La poésie de Philippe Jaccottet, sous la direction de Marie-Claire DUMAS.

13. Jean DUFOURNET et Michel ROUSSE
Sur la *Farce de Maître Pierre Pathelin.*

14. Jacques CHOUILLET
Denis Diderot - Sophie Volland. Un dialogue à une voix.

15. Robert JOUANNY
Les voies du lyrisme dans les *Poèmes* de Léopold Sédar Senghor.
(Chants d'ombre, Hosties noires, Ethiopiques, Nocturnes).

Jean DUFOURNET
Michel ROUSSE

SUR «LA FARCE DE MAÎTRE PIERRE PATHELIN»

Librairie Honoré Champion, Editeur
7, quai Malaquais
PARIS
1986

ISBN 2 - 85203 - 027 - 6 ISSN 0 - 755 - 25 - 13

A Roger Dragonetti,
pour lui souhaiter une retraite heureuse
et féconde,
en témoignage de notre admiration
et de notre amitié.

DE RUTEBEUF A LA *FARCE DE MAISTRE PATHELIN*

La *Farce de Maistre Pathelin* passe à juste titre pour être la plus ancienne des farces qui nous sont parvenues. Mais ce serait une erreur de voir en elle une œuvre qui marquerait le début d'un genre. Elle s'inscrit en fait dans une tradition théâtrale que nous connaissons mal mais dont nous pouvons parfois saisir quelques reflets. C'est que le théâtre comique ne fait pas, comme tel, partie du domaine littéraire. Il appartient à des professionnels du divertissement que l'on désignait sous le nom de jongleurs et de bateleurs. Parmi leurs talents divers, certains proposent de courtes scènes, dont les paroles ne sont sans doute qu'un élément secondaire. La situation, le jeu de scène, la mimique, les gestes ou les intonations, tout ce que le « varlet », l'apprenti, tient de son maître, et sur lequel, maître à son tour, il brodera, tout cela est le théâtre comique et ne saurait être ainsi confié directement à l'écrit.

Quoi qu'il en soit, même si nous n'avons pratiquement pas de textes, le théâtre existe bel et bien. Qu'importe que *Le Garçon* et *l'Aveugle* soit une œuvre isolée, un texte de ce genre ne peut être un accident. Le théâtre dont il témoigne, avec ses traditions, ses contraintes et ses conventions ne s'invente pas un jour par hasard pour tomber dans l'oubli le lendemain et renaître deux siècles plus tard. A partir de la fin du XIVe siècle, les comptes des princes et des cités opulentes ont gardé trace de rétributions données à des « farceurs », non point acteurs d'occasion ou amateurs, mais visiblement, professionnels de leur art.

Il est donc sûr que l'apparition de la *Farce de Maistre Pathelin* ne marque pas le début du théâtre comique. La pièce s'inscrit dans une tradition de jeu dont les conventions ont conditionné l'écriture. A cet égard il paraît difficile de nier que nous sommes en présence d'une œuvre authentique, d'un chef-d'œuvre né d'un acte créateur unique, et non point du remaniement d'une pièce antérieure sur le même thème. L'évidence du travail de composition, l'unité de conception, la force et la cohésion des effets, la maîtrise des jeux liés au texte ne permettent pas de douter qu'il en soit ainsi.

Mais rien ne prouve que la trame, ou une partie de la trame de la *Farce de Maistre Pathelin*, ne soit pas antérieure à l'œuvre que nous possédons. Giraudoux s'amusa à consciemment écrire une nouvelle et trente-huitième version d'*Amphitryon*, et le sac de Scapin appartient à une tradition dont on a la première manifestation dans *Le Garçon et l'Aveugle*. La *Farce de Maistre Pathelin* nous apparaît entièrement neuve quant à son matériau, mais il n'est pas impossible que certaines des données de la pièce lui aient préexisté. Des témoignages décisifs d'une telle éventualité ne sont pas en notre possession. Pourtant quelques vers de *La griesche d'hiver* de Rutebeuf proposent une matière où l'on peut — de façon très fragile, il n'est guère besoin de le souligner — reconnaître comme des échos de notre farce :

Cil qui devant cousin le claime
Li dist en riant : « Ci faut traime
  Par lecherie.
Foi que tu dois sainte Marie,
Cor va ore en la Draperie
  Du drap acroire ;
Se li drapiers ne t'en veut croire,
Si t'en reva droit a la foire
  Et va au change[1].
Se tu jures saint Michiel l'ange
Que tu n'as seur toi lin ne lange
  Ou ait argent,
L'en te verra moult biau sergent,
Bien t'aperceveront la gent :
  Creüs seras.
Quant d'ilueques remouveras,
Argent ou faille emporteras. »
  Or a sa paie.

(v. 88-105)[2]

Il ne s'agit évidemment pas d'établir un lien direct entre le poème de Rutebeuf et la *Farce de Maistre Pathelin.* Mais je voudrais, avec toute la prudence indispensable, émettre l'hypothèse que l'écho ténu qui peut être décelé de l'un à l'autre de ces textes n'est peut-être pas fortuit et que — comme en bien des cas

1. Il paraît préférable de ne pas mettre de majuscule à *change* et de voir désigné par ce mot le lieu qui dans la foire est dévolu aux changeurs.
2. Les citations de Rutebeuf reproduisent l'édition des *Œuvres complètes de Rutebeuf* publiées par Edmond Faralus r et Julia Bastin, Paris, 1959, 2 tomes.

on l'a découvert pour Molière —, l'auteur de la farce a pu puiser dans le fonds commun des professionnels du divertissement certains des épisodes et des situations qu'il a conçus.

Nous allons donc nous attacher à relever dans ces vers de Rutebeuf quelques éléments qui ne prétendent pas être des preuves, mais qui peuvent permettre que l'on envisage cette hypothèse. Le texte de Rutebeuf serait alors l'indice qu'il existait, dès le XIIIe siècle, une esquisse des premières scènes de la *Farce de Maistre Pathelin* dans le lot des situations que pouvaient exploiter, pour leurs fabliaux et leurs farces, jongleurs et bateleurs.

En préalable, il est utile de rappeler que Rutebeuf était un jongleur, et qu'il connaissait donc bien le répertoire de la profession ; de plus, il a lui-même écrit des textes pour le théâtre.

Peut-être sa production en ce domaine fut-elle plus abondante que ce qui nous en est resté. Ne déclare-t-il pas dans la première strophe de *La mort Rustebeuf*:

> Lessier m'estuet le rimoier,
> Quar je me doi moult esmaier
> Quant tenu l'ai si longuement.
> Bien me doit le cuer lermoier,
> C'onques ne me poi amoier
> A Dieu servir parfetement,
> *Ainz ai mis mon entendement*
> *En geu et en esbatement.*
> Qu'ainz ne daignai nés saumoier.
>
> (v. 1-9)

Le vers 8 est ambigu : « jeu » et « esbatement » sont deux mots qui peuvent s'entendre comme le divertissement que Rutebeuf s'est octroyé, ainsi du jeu de dés ; mais ils servent aussi à désigner les spectacles des jongleurs : dans les comptes du duc de Bourgogne, en 1387, 23 fr. sont alloués « a plusieurs joueurs de personnages et autres qui avoient fait divers esbatements devant mondit seigneur »[1] ; en 1393, le duc d'Orléans fait remettre à quatre « joueurs de personnages » la somme de vingt florins d'or « pour aucuns esbatement de jeux de personnaiges qu'ils avoient fait devant lui »[2]. En 1414, le duc d'Orléans donne 45 sous tournois à « Mathieu Lescureur, bateleur à Chauny », « pour ce qu'il a joué audit lieu de Chauny devant Monsieur de Guienne et mondit seigneur de jeux et esbatemens, lui et trois ses enfants »[3]. On le voit, ces termes désignent de façon constante l'activité des jongleurs et même, semble-t-il, plus spécialement leur activité théâtrale. Dans le poème de Rutebeuf, le contexte qui souligne l'application réfléchie que le poète a mise « en geu et en esbatement », invite donc plus à y reconnaître une activité professionnelle qu'un divertissement individuel auquel il se laisserait aller.

La Griesche d'hiver offre dans sa façon d'introduire sa matière une certaine analogie avec la *Farce de Maistre Pathelin*. Le thème en est la pauvreté, résultat du jeu de dés : « ...povreté qui moi aterre, / Qui de toutes pars me muet guerre » (v. 4-5), « Povretez est sor moi reverte » (v. 22). Or ce dénuement va se concré-

---

1. Bernard Prost, *Inventaires mobiliers et extraits de comptes des ducs de Bourgogne de la maison des Valois (1363-1477)*, 2 vol., Paris, 1902-1904 ; voir t. II, p. 1824.
2. *Le cabinet historique*, « Les galans-sans-souci joueux de farces », documents tirés du rec. F 145e de la bibl. du Louvre (acquisitions Joursanvault), II (1856), p. 196.
3. Louis Paris, *Le théâtre à Reims depuis les Romains jusqu'à nos jours*, Reims, 1885 ; p. 65.

tiser, comme dans la farce, dans la « robe », l'habillement : « Li dé que li decier ont fet / M'ont de ma robe tout desfet » (v. 52-53) ; « Li trahitor de pute estrace / M'ont mis sans robe » (v. 62-63). L'auteur de la farce utilise le même procédé, il matérialise la pauvreté de son héros par le mauvais état des vêtements du couple : « Nos robbes sont plus qu'estamine / reses » (v. 30-31). Ainsi se trouve enclenchée, dans l'un et l'autre cas, une situation qui conduit à la même nécessité d'acquérir du drap. Mais il faut souligner que ce processus qui mène de la pauvreté au drap n'est pas inéluctable. Rutebeuf, en d'autres poèmes, a évoqué sa pauvreté sans que les vêtements en deviennent le signe tangible.

Une nouvelle modulation dans le développement du poème de Rutebeuf s'associe au thème de la « robe » : « Li siècles est si plains de lobe ! » (v. 64). Cette tromperie généralisée qui règne sur l'ensemble de la société est bien évidemment une des données de base de la *Farce de Maistre Pathelin* ; « Chascun me paist de lobes » dit le drapier Guillaume (vers 1007) ; l'intrigue s'en nourrit, et les propos des personnages peuvent s'élever comme dans le poème de Rutebeuf à la constatation générale ; telle cette étrange et paradoxale déclaration de Pathelin lui-même, parlant du père de Guillaume :

> Pleust a Jhesucrist que le pire
> de ce monde luy resemblast !
> on ne tollist pas ne n'emblast
> l'ung a l'aultre comme l'en fait.
>
> (v. 176-79)

Jean Dufournet, dans une note à sa traduction, souligne que « lobe, "ruse, perfidie", est un mot cher au *Roman de Renart*»[1]. Et l'on sait comment Rutebeuf a recours en d'autres poèmes au personnage de Renart. Bien sûr le thème de la tromperie l'appelle. Mais que Rutebeuf, — par un mot qui est un signal —, et l'auteur de la *Farce de Maistre Pathelin*, — en mettant dans la bouche de Guillemette la fable du Renard qui s'empare du fromage au détriment du corbeau (v. 438-58) —, tiennent à convoquer ce personnage dans leur propos est une rencontre qui s'ajoute aux autres.

Il faut aussi souligner le statut particulier des vers qui nous occupent dans le poème de Rutebeuf. Ce sont des paroles qu'il ne prend pas dirrectement à son compte : il les met dans la bouche d'un personnage qu'il vient de susciter, ce qui est exceptionnel dans les « poèmes de l'infortune ». S'il insère parfois dans son développement des propos qu'il attribue à quelqu'un d'autre, c'est toujours extrêment bref, un vers au maximum, sauf s'il s'agit d'une citation des Écritures. Or, dans ce passage, il institue une situation de dialogue. Il détache du « je » qui énonce le poème un « il » qui va devenir l'interlocuteur du railleur et le destinataire de son propos. Une fois encore nous relevons une démarche exceptionnelle du poète ; lui qui donne à ses poèmes un timbre qui leur est propre par la présence constante des pronoms ou des possessifs de la première personne, il quitte ici très habilement le plan personnel par le biais d'une généralisation :

Li dé m'ont pris et emparchié :
  Je les claim quite !
Fols est qu'a lor conseil abite :

1. Rutebeuf, *Poèmes de l'infortune et poèmes de la croisade*, Traductions et études par Jean Dufournet, Paris, Champion, 1979 ; p. 52.

De sa dete pas ne s'aquite...

(v. 74-77)

Ce passage du « je » au « il » peut être interprété comme introduisant un personnage exemplaire, un type connu. Il fait ici référence à un destin qui le dépasse, qui est déjà consigné dans la mémoire commune. Et n'est-il pas remarquable que le vers 76 qui assure le passage au général enchaîne aussitôt sur une action qui est celle même de la *Farce de Maistre Pathelin* : « De sa dete pas ne s'aquite » ?

Examinons maintenant les vers mêmes qui nous ont paru pouvoir être mis en relation avec la farce. Les points de rencontre entre les deux textes peuvent s'analyser de la façon suivante :

Dans les vers de Rutebeuf : « Cor va ore en la Draperie / Du drap acroire ; / Se li drapiers ne t'en veut croire... » (v. 92-94), nous trouvons les éléments de l'intrigue de la première partie de la farce ; l'action : achter à crédit ; l'objet de cette action : le drap ; le personnage visé par cette action : le drapier. Et cette intrigue est énoncée dans les mêmes termes. La farce emploie plutôt le verbe « prester » : « Du drap que je vous ay presté, / il m'en fault l'argent, maistre Pierre. » (v. 634-35, voir également v. 404, 425, 434), mais elle recourt aussi au verbe « acroire » : « ...il fait mal d'acroire, » (v. 296, voir encore v. 723) et au verbe « croire » en une formule parallèle à celle du poème de Rutebeuf :

Or, sire, les voulez vous croire
jusques a ja, quant vous vendrez ?
Non pas « croire » : vous les prendrez
a mon huis en or ou en monnoye.

(v. 280-283)

La suite du texte de Rutebeuf introduit un épisode qui n'a pas de répondant direct dans la farce : « Si t'en reva droit à la foire / et va au change... » (v. 95-96). Cependant le motif « aller à la foire » est présent dans la farce et il est même introduit avec une insistance qui mérite d'être notée :

> Pathelin — ...je veuil aler à la foire.
> Guillemette — A la foire ?
> Pathelin — Par saint Jehan, voire,
> A la foire, gentil marchant...
>
> (v. 63-65)

Il est ensuite repris, à nouveau avec insistance, lorsque le Drappier s'approche de Pathelin délirant :

> Le Drappier — Est il malade a bon essient
> puis orains qu'il vint de la foire ?
> Guillemette — De la foire ?
> Le Drappier — Par saint Jehan, voire.
> Je cuide qu'il y a esté.
>
> (v. 631-33)

Il y a donc là un élément de convergence qui n'est peut-être pas insignifiant. L'allusion au change semble nous éloigner de la farce, mais en considérant cette convergence, ne pourrait-on imaginer qu'une scène de change a existé dans la tradition à laquelle se rattache notre farce et que l'on en aurait les traces, certes bien effacées, dans les fameux comptes du drapier et de Pathelin qui ont fait couler beaucoup d'encre. Pourquoi ces complications en effet ? pourquoi compter en sous parisis puis en sous tournois ? L'importance de ces calculs, la correspondance entre les sous et l'écu ont frappé tous les commentateurs du texte depuis Estienne Pasquier au XVIe siècle. On a voulu s'en servir pour déterminer à la fois le lieu d'origine et la date de la farce. Mais tout cela pourrait être issu d'une ancienne scène de change, adaptée, transformée, réélaborée, pour s'intégrer au dessein de l'auteur de la farce. En sorte que les indications de lieu et de date qu'on y a cherchées avec des fortunes diverses, seraient peut-être moins révélatrices qu'on ne l'a souvent supposé. Au reste, les érudits qui ont examiné ces questions en les liant à l'ensemble des données dont nous pouvons disposer sur cette farce, ont souvent été conduits à en réduire l'importance et à considérer qu'on ne peut faire fond sur les indications qu'elles paraissent procurer.

Un autre élément mérite d'être pris en compte dans notre enquête : sur les seize vers constituant l'intervention du personnage qui prend à partie l'homme qui est dans le dénuement, deux sont faits d'une formule de jurement.

Cette proportion est étonnante et unique dans les « poèmes de l'infortune ». Elle nous renvoie à un autre ton, celui des pièces à rire. Nous y trouvons en effet quelques jurons dans les propos de l'un ou l'autre des personnages des histoires qui y sont contées. Nous y relevons en particulier des formules analogues à celle du vers 91 ; « Foi que je doi saint Pol l'Apostre » dit l'écuyer dont la femme trouve excuse pour aller retrouver le prêtre, dans *La Dame qui fit trois tours autour du moutier* (v. 84) ; « Oïl, foi que doi Notre Dame », assure Charlot dans *Charlot et la peau de lièvre* (v. 119) ; et la formule même qui est employée dans la *Griesche d'hiver* se retrouve dans la bouche du Barbier dans *Charlot et le Barbier* : « Foi que je doi sainte Marie » (v. 75).

Si donc l'emploi d'un juron renvoie à un ton comique, l'accumulation de deux jurons en si peu de vers mérite d'être notée. D'autant plus que, même dans un contexte comique, elle paraît exceptionnelle. N'y aurait-il pas là un effet analogue à celui que nous trouvons dans la *Farce de Maistre Pathelin*, où l'on a observé l'abondance de ces formules de jurement ? Bien mieux, n'est-ce pas par « Saincte Marie ! Guillemette... » que s'ouvre la farce ? et les jurons où entre le nom de Marie ou Notre Dame ne sont-ils pas de loin les plus nombreux (v. 99, 120, 239, 357, 384, 406, 424, 686, etc.) ?

Si ces vers renvoient, pour le ton, à un répertoire comique typique des jongleurs, nous pouvons peut-être aussi relever l'étrange coïncidence qui existe entre deux scènes de marchandage, celle de Pathelin avec le drapier et celle qui, dans *Charlot et la peau de lièvre*, met en présence le jongleur Charlot et celui qui doit le récompenser de sa prestation aux noces qui viennent d'avoir lieu ? Le donateur lui annonce :

> Mais je croi bien par saint Germain
> Que vos cuit teil choze doneir,
> Que que en doie gronsonneir,
> *Qui m'a coutei plus de cent souz...*
>
> (v. 84-87)

Il fait alors apporter la peau du lièvre et il renchérit :

> Charlot, se Diex me doint sa grace
> Ne se Dieux plus grant bien me face,
> *Tant me cousta com je te di.*
> — Hom n'en avroit pas *samedi*,
> Fait Charlos, autant au marchié...
>
> (v. 94-99)

N'avons-nous pas là un mouvement et des propos auxquels les paroles du drapier à Pathelin font écho :

> *Il le m'a cousté*, par ceste ame !
> (v. 240)
> ...Et je vous jure
> que j'en auray *ce que je dy.*
> Or atendés a *samedi* :
> *vous verrés que vault* ! La toison
> dont il solloit estre foison,
> *me cousta*, a la Magdelaine,
> huit blans, par mon serment, de laine
> que je souloye avoir pour quattre.
> (v. 246-253)

Ajoutons que l'interlocuteur de Charlot s'appelle... Guillaume et que la moralité que tire Rutebeuf « Qui barat quiert, baraz li vient » (v. 132) n'est pas sans rappeler celle de la *Farce de Maistre Pathelin.*

Nous pourrions encore tirer argument du procédé employé par Rutebeuf lorsqu'il joue sur le double sens des mots : *croire* (v. 102) signifiant à la fois « croire » et « faire crédit » ; et surtout la formule finale : « Argent ou faille enporteras », où *faille* peut se prêter à signifier « sorte d'étoffe » ou bien « manque, échec, rien ». L'essentiel de la farce est fondé sur de telles équivoques.

De ces observations nous ne voulons surtout pas tirer la conclusion que Rutebeuf ait eu entre les mains un texte qui aurait été la source de la *Farce de Maistre Pathelin.* Ce que nous souhaitons avancer, sans prétendre qu'il s'agisse là de certitude, c'est que Rutebeuf, écrivant ces vers de la *Griesche d'hiver*, avait présent à l'esprit une pièce du répertoire des jongleurs qui n'était peut-être pas sans analogie avec la première partie de notre farce. L'originalité de la farce ne saurait être mise en doute, mais elle s'inscrivait ainsi dans une tradition de divertissement jongleresque à laquelle elle aurait emprunté certains éléments, à la manière de ce que fit par la suite Molière. Que Rutebeuf par son métier de jongleur ait été particulièrement familier avec un répertoire non écrit qui se retrouve dans les farces, nous est encore suggéré par la matière du *Pet au vilain* que reprend, deux siècles plus tard, la farce du *Meunier de qui le diable emporte l'âme* d'André de La Vigne.

Pour ce qui est de la parenté de la *Farce de Maistre Pathelin* avec le répertoire des jongleurs et farceurs, nous avancerons encore un autre indice. Il est cette fois postérieur à la pièce et nous l'empruntons à Rabelais. Il rapporte en effet, au chapitre 34 du *Tiers Livre*, qu'il avait joué avec ses amis à Montpellier « la morale comoedie de celluy qui avoit espousé une femme mute », et il en expose, par la bouche d'Epistemon, le contenu. On se souvient que le médecin guérit la femme, et qu'il rend sourd le mari venu demander remède contre le bavardage de son épouse. « Puys le medicin demandant son salaire, le mary respondit qu'il estoit vrayement sourd et qu'il n'entendoit sa demande. Le medicin luy jecta on dours ne scay quelle pouldre par vertus de laquelle il se raslierent ensemble, et tant bastirent les medicin et chirurgien qu'ils les laisserent à demy mors ». On voit la parenté de la pièce que présente Rabelais avec la *Farce de Maistre Pathelin*. La ruse du mari est analogue à celle du berger quand il s'agit de payer. On pourrait bien sûr dire que nous avons affaire à un emprunt. Mais on peut aussi penser que la *Farce de la Femme mute* reprend un thème qui existait déjà dans le fonds traditionnel des jongleurs ; les étudiants de Montpellier ont peut-être même joué une farce déjà connue, en lui faisant subir quelques modifications destinées à l'adapter à leur public. L'épisode du paiement ne serait donc pas inspiré de la *Farce de Maistre Pathelin*, mais témoignerait de l'existence dans le stock des situations comiques où puisaient les jongleurs, bateleurs et farceurs, d'une scène de ce genre, de même que nous retrouvons dans la farce de Rabelais un épisode que Molière reprendra pour *Le Médecin malgré lui*.

Michel Rousse

I

ABONDANCE LINGUISTIQUE ET COMIQUE VERBAL

Cette richesse éclate tout au long de la pièce. Il suffit de considérer quelques séries pour s'en rendre compte.

Par exemple, les formules de jurement qui mettent en cause Dieu, la Vierge ou les saints. A s'en tenir à Dieu, on constate une extraordinaire diversité, tant l'auteur se plaît à jouer de toutes les possibilités, des formes *Dieu* ou *bieu,* des formules introduites par les prépositions *par* ou *pour* ou d'autres plus étoffées.

1. Dieux
   Hé ! Dieu
   Dieu nostre pere
2. a. par Dieu
      Et par Dieu
      par Dieu le Pere
   b. pour Dieu
3. par celluy qui me fist naistre
   par le /Dieu qui voult a Noel estre né
4. a. par les angoisses Dieu
   b. par le corps Dieu, par le corps bieu

lais, *patelineux* « finaud », « qui répond en Normand » *patelinois* « jargon », « baragouin » ; ce nom est sans doute dérivé de *pateler* « gazouiller », comme *trottin* de *trotter* et *galopin* de *galoper*, à partir d'une racine commune au gallo-roman et au germanique, *pat-*, et *patelin*, avant de devenir un nom propre, désignait le beau parleur, le trompeur en paroles.

Très vite on découvre un vocabulaire de la parole d'une particulière opulence [1], touchant à tous les registres. Neutre (*dire, parler, proposer*) ou pleine d'assurance (*desclairer, gloser, hucher, sonner, vanter*), la parole peut exprimer une prière ou une requête (*clamer* et son doublet *chanter, demander, prier, requerre*) ou une tension (*brester, braire, crier, débattre, moucher, tancier, tourmenter*). Elle est le plus souvent négative, qu'elle soit incompréhensible (*barbeloter, barboter, barbouiller, brouiller, fatrouiller, gargouiller, grumeler,* et *abaier* qui relève du parler animal), inutile (*babiller, bave, baver, baverie, flagorner, gergonner*), trompeuse (*armer, blasonner, cabasser, flageoller*), stupide (*balivernes, trudaines, faire le rimeur en prose, n'avoir ni rime ni raison*), moqueuse (*faire la moe, se moquer, rafarder, rigoler, rire, sorner).* De surcroît, les verbes de l'affirmation (*affirmer, jurer, promettre...*) servent souvent à masquer un mensonge.

Ce relevé rapide, qui révèle que la parole, en général, ne permet pas l'échange ni ne parle vrai, ne vise qu'à manifester la richesse de ce champ sémantique,

---

1. Pour le sens de chacun des termes, se reporter à notre édition déjà citée, et à celle de R.T. Holbrook, Paris, Champion, 1924 (*Classiques français du Moyen Age,* 35) qui dispose d'un précieux lexique. Pour les étymologies et d'autres exemples, consulter les grands dictionnaires de F. Godefroy, E. Huguet, Tobler-Lommatzsch et W. von Wartburg.

souvent regroupé en séries, et, d'une manière plus large, l'abondance lexicale qui tend au comique verbal.

ERRATA

Nous prions le lecteur de bien vouloir excuser cette erreur :

Inversion de pages :

Le texte de la tête de chapitre “La parole dans la farce de Maître Pierre Pathelin”, placé par erreur en p. 25, devrait être en p. 21, alors que le texte de la tête de chapitre “I Abondance linguistique et comique verbal” devrait passer de la p. 21 à la p. 25.

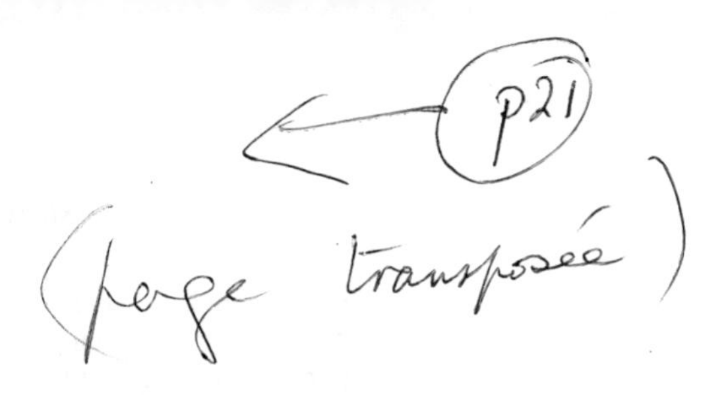

LA PAROLE DANS LA FARCE DE MAITRE PIERRE PATHELIN.[1]

> « Comme tout le monde, je trouve dégoûtant de ne pas être un autre. »
>
> Gilles Lapouge, *Equinoxiales.*

Dès les premiers vers de la pièce, le personnage principal est mis en relation avec la parole, puisqu'il s'agit d'un avocat, d'un homme de la parole, dont la parole est l'arme (vers 5, 7, 13), même si l'on sera amené à s'interroger pour savoir si Pathelin est un véritable avocat. D'autre part, son nom, sans doute antérieur à la farce, appartient, comme l'a montré Omer Jodogne[2], à une série de mots liés au langage : *patelin* « façon étrange de parler », « jargon », *pateliner* « tromper par des paroles, par l'usage de divers langages », *patelinage,* sans doute une création de Rabe-

1. Pour d'autres exemples et des compléments, on se reportera à la préface et aux notes de notre édition-traduction de *la Farce de Maître Pierre Pathelin,* Paris, Garnier-Flammarion, 1986.
2. Dans *Rabelais et « Pathelin », Les Lettres romanes,* t.IX, 1955, pp. 8-14.

c. par le sang (sanc) bieu
par le saint sang bieu precieux
par le saint sang que Dieu rea
d. par la teste Dieu
e. par la mort bieu
f. les plays Dieu
g. par la croix ou Dieu s'estendit

5. a. m'aist Dieu
b. se m'aist Dieu
se m'aïst Dieu
c. ainsi m'aist Diex que

6. a. maugré bieu
b. bon gré en ait Dieu

7. Je regni bieu / jerni bieu / or regni je bieu se / or regni biou

8. A Dieu me puisse commander / Mais je puisse Dieu avouer / Je puisse desavouer Dieu

9. a. Dieu vous mette en mal an / Dieu te mette en bote semaine / Sanglante fievre te doint Dieu
b. Damedieu en ait male feste

10. a. Dieu vous doint benoiste journee / Dieu vous doint bonne estraine
b. Dieu vous gart / Dieu te gart
c. Dieu y soit

11. a. Dieu par sa grace le sache
b. Dieu scait comme j'eschaffauldoye

12. je prie Dieu que le deluge / coure sur moi
je requier Dieu qu'il en ait l'ame

Si l'on examine la négation, tout aussi abondante [1],

---

1. Voici les emplois respectifs de quelques-unes des formes : NE suivi de *savoir, pouvoir, oser...* (23 emplois), en hypothétiques introduites par *se* ou *qui* (22 emplois), suivi d'un verbe et d'un substantif (14 emplois), avec subjonctif (16 emplois) ; NE ... MIE, 6 emplois dont 5 à la rime ; NE ... POINT, 17 emplois ; NE ... PAS, 41 emplois ; NE ... NUL, 5 emplois ; NE ... NULLEMENT, 2 emplois ; NE ... ONCQUES, 5 emplois ; NE ... JA, 6 emplois (3 avec le futur, 2 avec le subjonctif présent, 1 avec l'indicatif présent) ; NE ...

on relèvera toutes les variations de l'adverbe *ne* seul ou suivi de *nul, aucun,* de *ja, jamais, oncques,* de *rien, personne,* de *mie, point, pas,* de *mais, plus, gueres,* sans parler de *non, nenny, nennil, nennin,* de *sans,* des expressions *ne croix ne pille, ne denier ne maille, ne rime ne raison,* en sorte que Pathelin apparaît aussi comme le maître de la négation, surtout de la négation implicite, de la litote, modes déviants de la négation.

S'agissant de champs moins étendus, ils sont aussi fournis, à en juger par celui de la ressemblance, aux vers 124-177, puis 419-427 :

124-125	:	Vous luy resemblez de visaige, par Dieu, comme droitte paincture !
142-145	:	Ainsi m'aist Dieu que des oreilles, du nez, de la bouche et des yeulx, oncq enfant ne resembla mieulx a pere.
146	:	vrayment c'estes vos tout poché !
150-153	:	Sans faulte, je ne puis pencer comment Nature en ses ouvraiges forma deux si pareilz visaiges, et l'ung comme l'aultre tachié...
154-157	:	car quoy ! qui vous aroit crachié tous deux encontre la paroy, d'une maniere et d'ung arroy, si seriez vous sans difference.
162-164	:	vous luy resemblez de corsaige comme qui vous eust fait de naige.
165-166	:	en ce païs n'a, ce me semble, lignaige qui mieulx se resemble.

JAMAIS, 8 emplois (3 avec l'indicatif futur, 5 avec le présent du subjonctif ou de l'indicatif) ; NE ... MAIS, 1 emploi ; NE ... GAIRES, 1 emploi ; NE ... PLUS, 13 emplois ; NE ... RIEN, 10 emplois ; NE ... QUE, 10 emplois etc. Pour des compléments sur la négation, se reporter à Christiane Marchello-Nizia, *Histoire de la langue française aux XIVe et XVe siècles,* Paris, Bordas, 1979, et à Robert Martin et Marc Wilmet, *Syntaxe du moyen français,* Bordeaux, Sobodi, 1980.

167-169 : tant plus vous voy... par Dieu le pere,
vez vous la : vëez vostre pere ;
vous luy resemblez mieulx que goute
d'eaue, je n'en fais nulle doubte.
176-177 : Pleust a Jhesucrist que le pire
de ce monde luy resemblast !
419-420 : que resemblez vous bien de chiere
et du tout a vostre bon pere !
427 : C'estes vous, fais je, tout crachié !

Dans la dernière scène, on assiste, sur une vingtaine de vers, à une modulation de *paie-moi* posé au vers 1550 :

1549-1950 : Il est temps que je m'en aille :
paye moy !
1556 : Paye moy bien et doulcement !
1557-1558 : Parle saigement
et me paye ; si m'en yray.
1559-1561 : Sez tu quoy ? je te diray :
je te pry, sans plus m'abaier,
que tu penses de moy payer.
1563 : Paye tost !
1565-1566 : Par mon serment, tu me pairas,
entens tu ? se tu ne t'en voles.
1571-1572 : Scez tu qu'il est ? Ne me babilles
meshuy de ton "bee" et me paye !

Il est facile de déceler la maîtrise de l'auteur à utiliser des procédés comme la répétition du même mot, tel que *bee* (voir notre article au chapitre suivant), ou *bas,* ou *or* (du vers 332 au vers 349) ou de *six aunes* tout au long de la pièce (vers 262, 435, 523, 561, 586, 663, 709, 1 042, 1 049, 1 266, 1 322, 1 458). A ce sujet, on remarquera avec Jean Deroy[1] que tous les personnages sont mis en rapport avec les *six aunes* et

1. *François Villon, Coquillard et auteur dramatique,* Paris, Nizet, 1977, p. 130

qu'il y a sept variations d'interlocuteurs, qu'il y a onze variations des éléments sémantiques autour de *six aunes,* et qu'au septième emploi s'ajoute tout un jeu autour de l'expression avec *si a / non a* (vers 708-709)[1]. Ou comme la synonymie : *armé et blasonné* (vers 407), *avocat dessous l'orme, avocat d'eau douce, avocat potatif*[2] etc. Ou comme le redoublement de certaines scènes, racontées après avoir été vécues (vers 118-179 et 406-437), ou annoncées avant d'être jouées (464-477 et 507-605 ; 1 158-1 190 et 1382 à la fin).

2. L'enrichissement de la langue est dû, pour une part, à l'utilisation de vocabulaires techniques : médical (*cristere,* 639, *pilloueres,* 643), commercial (*lé de Brucelles*[3], 259, *denier a Dieu,* 229-233) et surtout juridique[4] : *retraire une rente* (v. 199), *couverture* (v. 359), *nisi* (v. 376), *brevet* (v. 377) *gager* (v. 380), *accorder*

---

1. Autre exemple : *dessouz mon esselle,* aux vers 303-313, 716-717, 846-847, 1341-1342, 1458-1459.
2. Pour chacune de ces expressions, voir nos notes dans notre édition.
3. Voir O. Jodogne, *Notes sur Pathelin,* dans *Festschrift W.v. Wartburg,* Tübingen, 1968, pp. 431-441.
4. Sur le vocabulaire juridique, consulter, outre nos notes, les articles de P. Lemercier, *Les Éléments juridiques de Pathelin et la localisation de l'œuvre,* dans *Romania,* t. LXXIII, 1952, pp. 220-226, et de R. Lejeune, *Le Vocabulaire juridique de Pathelin et la personnalité de l'auteur,* dans les *Mélanges... Robert Guiette,* Anvers, de Nederl.Boekhardel, 1961, pp. 185-194. Voici une définition rapide de ces termes : *retraire une rente* « racheter une rente » ; *couverture* « caution donnée pour assurer un paiement » ; *nisi* « acte écrit par lequel on s'engage à payer, sinon... » ; *brevet* « reconnaissance de dette » ; *gager* « saisir les meubles comme gage d'une dette » ; *accorder* « concilier, arranger » ; *apointer* « régler un appointement » qui est un « règlement en justice par lequel, avant de faire droit aux parties, le juge ordonne de produire par écrit ou de déposer les pièces sur le bureau » ; *défaut* « manquement à une assignation donnée, refus de comparaître » ; *assoulz* : il s'agit d'une personne reconnue coupable du délit à elle imputé, mais dont le délit n'est pas qualifié punissable par la loi.

(v. 1 057), *apointer* (v. 1 061), *defaut* (v. 1 073), *assoulz* (v. 1 124).

3. Que dire du travail sur le vers d'une telle souplesse et d'une telle richesse qu'il a de tout temps suscité l'admiration des connaisseurs, témoin Louis Cons ! Non seulement les rimes riches prédominent, mais s'y ajoutent fréquemment

— l'enchaînement, par exemple aux vers 1083-1084 : J'ay a faire a ung *entendeur*, / *entendez* vous bien..., ou aux vers 1361-1362 : ... c'est le grign*eur*/ tromp*eur*...

— l'équivoque, ainsi aux vers 37-38 : *des chapperons/* nous *eschapperons* ; 325-326 : Que *fais tu/* ung *festu* ; 285-286 : *aler par la/* ne *parla* ; 445-446 : *le corbeau/ le corps beau* ; 853-854 : en chele vielle *prestrerie* / Et faut il que *le prestre rie...*

— l'enrichissement, comme aux vers 517-520 : jE n'OSE/ rEpOSE/ ung petIt AplOMME/ il est sI AssOMME ; ou aux vers 829-830 : nICeTE/beneDICiTE.

— la rime intérieure et quelquefois allitérative :

> Vers 3-4 : a cabasser n'a ramasser
> nous ne pouons rien amasser.
> vers 39-40 : et serons remis sus en l'eure.
> Dea ! en peu d'eure Dieu labeure.
> vers 1046-1047 : car par ceste ame...
> Et, par la Dame que l'en clame...

Suprême prouesse : avoir su intégrer dans le jeu des rimes les différents jargons. Si l'on tient compte des rejets et des enjambements, dont certains sont très audacieux (aux vers 14, 23, 31, 320 etc...), de la dislocation du vers qui épouse toutes les subtilités d'un dialogue de théâtre, de la répétition du même mot à des places très différentes, on conviendra sans peine que l'auteur de *Pathelin* dispose à son gré du vers, comme de la langue dont il utilise tous les niveaux et tous les registres.

4. Le comique, comme on doit s'y attendre, s'insinue souvent dans le texte, rarement grossier, sinon dans la scène du délire, où ce type de comique apparaît sous plusieurs formes. Témoin, plus particulièrement, le passage où Pathelin feint de prendre Guillaume pour un médecin.

Jeux de mots sur *rendre* au sens de « vomir » (v. 646), puis de « restituer » (v. 649), à rapprocher de certaines plaisanteries de Villon, en rapport elles aussi avec le bas corporel, sur *branc* (*Testament*, vers 971) — qui signifie : 1/ l'épée ; 2/ l'organe sexuel masculin ; 3/ l'excrément — ou *reau*, à la fois dissyllabe (c'est un royal d'or) et monosyllabe (c'est le *rot*). Il convient de remarquer que l'auteur, selon une habitude qui lui est chère, a déjà attiré l'attention sur le verbe *rendre* dans la scène précédente, à propos des six aunes de drap (vers 433-437), et qu'il se plaît à de subtiles variations sur le même terme. A noter une plaisanterie du même genre au vers 185, où *orine* signifie à la fois « origine » et « urine ». Plus tard, l'auteur évoque la scène comique de l'examen de l'urine (vers 656), déjà utilisée dans le *Roman de Renart*[1] et le *Jeu de la Feuillée*[2], et rappelée dans un rondeau de Charles d'Orléans[3].

Confusion sur les *trois morceaux noirs et becuz* (v. 642) que Pathelin appelle *pillouëres* « pilules » (v. 644) et qui sont en fait des suppositoires[4].

1. Branche X, Paris, Garnier-Flammarion, t. II, 1985.
2. Vers 228-270. Voir notre édition, Gand, Éditions scientifiques — Story Scientia, 1977.
3. Rondeau CLX : *Pour Dieu, laissez voir vostre orine, / On vous trouvera medecine.*
4. Voir l'art. d'Omer Jodogne à la note 8.

Évocation directe des excréments aux vers 636-638 et 666-669.

Ailleurs, c'est le contraste entre deux registres très différents qui fait éclater le rire, aux vers 744-747 :

> PATHELIN : Il est en luy trop mieulx seant
> qu'ung crucifix en ung monstier.
> GUILLEMETTE :En ung tel or vilain brutier[1]
> oncq lart es pois ne cheut si bien.

> « La leçon lui convient mieux qu'un crucifix dans une église.
> — Jamais une telle ordure de canaille n'avala si bien du lard aux pois ».

5. Cet élargissement du champ lexical par le recours à tous les registres de la langue se fait, de manière plus voyante, par l'introduction des jargons, dont on a déjà beaucoup parlé, en remarquant en particulier que l'exercice, courant à la fin du Moyen Age et au XVIe siècle, appartient au registre du burlesque élémentaire de la farce et de la sottie. Mais le coup de génie de l'auteur de *Pathelin* a consisté à associer ce jeu au comique de situation, puisque Pathelin joue au mourant qui délire, et à lui donner une ampleur particulière en passant d'un jargon à l'autre — limousin, picard, flamand, normand, français jargonnant, breton, lorrain, latin — dont Guillemette explique l'usage. Le mari et la femme ont-ils déjà joué ce numéro ? Ou la « gentille marchande » a-t-elle eu affaire à des clients de différentes origines ? Sans

1. *Or* est une graphie d'*ort* « sale », « répugnant » ; quant à *brutier*, qui est bien le mot de l'Imprimé, il signifie, selon E. Huguet (t. II, p. 18), « oiseau de proie impropre à être dressé pour la chasse », et, pour O. Jodogne, *art. cité*, p. 438, « propre à rien ».

doute s'agit-il d'un choix scénique qui ne se préoccupe pas de la vraisemblance.

Il en résulte un savoureux mélange de passages en clair qui sont, pour une part, autant d'insultes adressées au drapier (traité de *crapaudaille*, 849, de *merdaille*, 849, de *carême-prenant*, 862, d'*âne*, 912, de trompeur, 918, de menteur, 943, de vieux con, *vielz nate* en ancien français, 946, et de *savate*, 947) et qui contribuent, par des références animalières ou sexuelles, à créer un climat carnavalesque, directement évoqué par *carême-prenant*, et de passages totalement hermétiques, en flamand et en breton, même si surnagent des mots qui peuvent revêtir un sens direct (*douch aman*, *grande*, *crux*, *merveil*, *amour*, *courteisy*...), au point que le drapier, en proie à une sorte de vertige, tend à tout mélanger, Dieu, la Vierge, le diable, et à délirer lui-même par glissement d'un mot à l'autre (*guergouille*, *barbouille*, *barbote*, *barbelote*) avant de conclure qu'on ne peut rien y comprendre et que Pathelin ne parle aucun langage intelligible :

> Helas ! pour Dieu, entendez y.
> Il s'en va ! Comment il guergouille !
> Mais que dyable est ce qu'il barbouille ?
> Saincte Dame, comme il barbote !
> Par le corps Dieu, il barbelote
> ses motz tant qu'on n'y entent rien !
> Il ne parle pas crestïen
> ne nul langaige qui apere (vers 931-938).

L'auteur se plaît aux mélanges, par exemple dans le passage qui précède le breton et où Pathelin s'exprime dans une sorte de mauvais français parlé par un Breton, dans un français en quelque sorte bretonnisé (vers 912-918), employant des formes incorrectes (un pluriel suivi d'un singulier, *Sont il ung asne que j'os braire*, 912, ou un singulier suivi d'un pluriel, *ton fait, il sont tout trompery*, 918 ; un indicatif futur à la place du subjonctif, *Il convient que je te herré*, 916) et des finales fortement marquées, comme *Alast, alast* ! pour « Hélas, hélas ! » ou sans *e* (*trichery, trompery*).

Le jeu culmine avec le passage final en latin, langue de la religion, de l'office funèbre et de la mort, langue chrétienne s'il en fut, que ne comprend pas davantage le drapier qui n'est pas un clerc, et qui n'entend qu'un jargon lié dans son esprit aux derniers sacrements, alors que le passage a un sens suivi, en rapport avec l'intrigue de la pièce, avec l'aventure du drapier et de Pathelin. Nous avons donc à faire à deux niveaux complémentaires : pour le drapier, à un charabia formé de sonorités où le sens se perd ; pour Pathelin, pour Guillemette et une grande partie des spectateurs, à une moquerie par l'utilisation d'une autre langue. Le passage révèle et masque le sens tout à la fois.

Ce travail sur toutes les formes du langage, écartelé entre une jouissance toute physique du matériau sonore et une interrogation sur la fragilité du sens, met la parole au cœur de la pièce dont elle devient le thème, en particulier par la prolifération de l'ambiguïté, car, si la même idée peut être exprimée par un nombre plus ou moins considérable de synonymes, le même mot peut offrir des sens différents. Comme l'a écrit Michel Erre[1], l'« utilisation des langues diverses nous offre une vaste métaphore de l'ambiguïté constitutive du langage ».

---

1. *Langage (s) et pouvoir(s) dans la Farce de Maître Pathelin*, dans *Dissonances*, t. I, 1977, pp. 90-118.

II

LA RECHERCHE DE L'AMBIGUÏTÉ

L'ambiguïté, symbolisée au XVe siècle par le rire en pleurs que nous avons d'ailleurs dans la pièce, se retrouve à tous les niveaux, et ainsi multiplie les sens.

1. Elle profite d'abord des incertitudes et des variations de la prononciation, surtout s'agissant de textes dont la finalité était d'être dits.

Ainsi, dès le début, au vers 18, *grimaire*, qui rime avec *maire*, évoque tout à la fois la grammaire du *trivium* et le grimoire de la sorcellerie[1] — et apparaît ainsi tout un pan de la culture populaire que nous décelons dans l'invocation du drapier, *par le saint*

1. Cf. R.T. Holbrook, *Étude sur Pathelin*, p. 69 : « ... aux yeux de Guillemette, le *grimaire* n'est pas un des livres qu'on étudie à l'école, ce n'est donc pas la grammaire proprement dite, mais il n'en est pas moins un livre instructif, sérieux (non pas saugrenu) qui peut rendre les gens *saiges*... »

soleil qui raye (754)[1], et dans la plaisanterie de Pathelin, *en est saint sur le cul* (369)[2].

---

1. Dans *les Évangiles des Quenouilles*, texte contemporain de notre farce, le soleil est même assimilé à une divinité : « Qui du soleil veut estre servy, sy lui tourne le dos. Car il ne voeult estre regardé a plein du pecheur ; et se autrement fait, tout moustre son courrouz » ; aussi ne doit-on pas pisser contre le soleil (III, 1 ; III, 21), de même qu'on ne doit pas le faire contre un lieu saint (église, monastère ou cimetière, III, 3) sous peine de maladies. Ce culte rendu aux astres était déjà dénoncé par saint Éloi dans son *Sermon sur les superstitions* : « Que personne n'appelle son maître le soleil ou la lune, ou ne jure par eux ». Voir P. Sébillot, *Le Folklore de France*, Paris, 1904, t. I, p. 56. Sur *les Évangiles des Quenouilles*, voir, outre le livre cité de M. Jeay (note 2) et son édition, la thèse de Madame Anne Paupert-Bouchez, *Recherches sur les Évangiles des Quenouilles* (t. I, édition ; t. II, études ; t. III, notes et annexes), soutenue devant l'Université de la Sorbonne nouvelle le 13 janvier 1986 et déposée à la Bibliothèque de la Sorbonne.
2. Selon V.L. Saulnier, dans *Rabelais dans les provinces du Nord...*, *La Renaissance et les provinces du Nord*, Paris, CNRS, 1956, pp. 138-139, il s'agirait d'une manière ridicule de s'habiller, le personnage pouvant être un « pauvre hère étique dont la ceinture tombe faute d'embonpoint » ou un « ventripotent contraint en quelque sorte de porter sa ceinture au-dessous d'une bedaine avantageuse », ou un individu portant « une ceinture un peu lâche, négligemment serrée ». Pour O. Jodogne, dans *Festschrift Walther von Wartburg*, p. 439, le personnage serait entravé dans ses mouvements. « Mais s'agit-il d'une ceinture dont l'on se serre le corps ou d'une ceinture qu'on vous impose ou même de liens qui vous paralysent ? *Estre ceint sur le cul* évoquerait l'impossibilité où l'on se trouve de se déplacer, d'agir ».
   Faut-il aller plus loin et voir dans ce vers un rappel ironique à une pratique plus ou moins magique qui immobilise ? Dans son livre passionnant, *Savoir faire. Une analyse des croyances des « Évangiles des Quenouilles » (XVe siècle)*, Montréal, Ceres, 1982 (*Le Moyen Français*, 10) Madeleine Jeay remarque : « Ceinturer constitue le recours habituel, le geste conjuratoire polyvalent, que ce soit par l'usage de ceintures pour délivrer les possédés, juguler le démon de l'incontinence ou hâter le travail des femmes en couches, par des processions autour des églises, des champs ou des villes pour chasser calamités, maladies et fléaux. Lorsqu'il s'agit d'exorciser le loup-garou, l'utilisation de la ceinture présente un caractère moins généralement prophylactique, plus spécifique. Il arrive en effet que la métamorphose en loup-garou puisse se faire à l'aide d'une ceinture. Elle se révèle donc toute-puissante contre lui, de même que le tablier (qui ceint aussi la taille) : il suffit de traîner l'un de ces deux objets par terre après soi pour que le loup-garou ne puisse approcher. Dans une situation analogue, suivie par un loup, la femme doit aussi traîner sa ceinture, mais en même temps menacer l'animal en invoquant la Vierge... » (p. 127).

Tout de suite après, nous avons la locution adverbiale *longue piece* « longtemps » qui rime avec *despeche* dans les Imprimés de Le Roy (dont R.T. Holbrook et nous-même avons adopté le texte), et Levet, et avec *despiece/despesse* dans les Imprimés de Le Caron et de Marion Malaunoy. La rime approximative *piece/—peche* n'est pas rare au XVe siècle, et alors il faut comprendre : « A qui voyez-vous que je ne débrouille sa cause ? » : le sens est favorable. Mais, si l'on adopte l'autre prononciation qui enrichit la rime, il s'agit alors du verbe *despecier* « mettre en pièces », et la plaisanterie est encore plus fine, s'il s'agit de la cause du client de Pathelin : il serait alors vraiment un *avocat d'eau douce*, dont on comprend qu'il soit un *avocat dessous l'orme.*

Sans doute la prononciation variait-elle au gré des acteurs, comme dans le *Testament* de Villon, où tel personnage, Trascaille par exemple, devenait selon les textes *Trace-caille* ou *Trouscaille*[1].

Il est intéressant de noter que ces deux plaisanteries apparaissent dans les vingt premiers vers de la farce, jetant des doutes sur ce maire pourtant qualifié de *saige* et sur cet avocat dont on se disputait naguère les services.

Le *Martin Garant* du vers 95, sans doute une sorte de Martin Crédit qui offrira de payer toutes les dépenses de Pathelin, devient, dans la mesure où le R pouvait se prononcer L, Martin Galant, celui qui fait la noce.

Quant à l'avocat *potatif* qu'est le héros, c'est à la fois un avocat « aviné », de *potare* « boire », à rappro-

---

1. Voir nos *Recherches sur le Testament de François Villon*, Paris, SEDES, t. II, 1973, pp. 339-359.

cher de *potateur* que nous avons dans *la Condamnation de Banquet*:

> Devinez se pour le Docteur
> de boire je m'espargneray.
> Je seray tousjours potateur
> et mon ventre bien fourniray...

et un avocat « putatif », « supposé » (que nous trouvons chez Eustache Deschamps, et peut-être dans le même temps un avocat « portatif »[1], de modèle réduit, raté, comme l'était le *Breviarium Romanae Curiae*, généralisé dès le XIIIe siècle dans toute l'Église romaine, dans lequel on ne copiait que les *initia* des psaumes, hymnes et antiennes, et où les leçons étaient réduites à quelques lignes, ce que fera d'ailleurs un personnage pathelinesque, frère Jean des Entommeures de Rabelais (*Gargantua*, chap. 42) qui, ailleurs (*Pantagruel*, chap. 7), cite les *Potingues des Évesques potatifs. Potatif* et *portatif* se rencontraient dans la prononciation, car le R implosif intérieur avait tendance à s'amuïr[2].

Faut-il voir un jeu possible sur *la royne des guiternes* (textes de Le Roy et Levet) avec *quiternes, quinternes* (texte du ms. La Vallière) qui, selon J.Cl. Aubailly[3], désigne une *guitare* mais aussi une troupe (*caterne, caterve*), en sorte que la reine des troupes serait la basoche, et les quatre *quinterneaux* les quatre nations, manière pour Pathelin d'alerter Guillemette

1. Selon Bruno Roy, dans *Tréteaux*, t. II, mai 1980, pp. I-7.
2. Voir Chr.Marcelle-Nizia, *op. cit.*, p. 83 ; miss Pope, *From Latin to modern French*, §§ 396 et 563.
3. Dans son édition, Paris. CDU-SEDES, 1979 (*Bibliothèque du Moyen Age*), p. 163.

sur ce qu'il va faire, sur l'utilisation des quatre dialectes des étudiants ?

En tout cas, on se rend compte que les acteurs et les scribes modifiaient le texte au gré de leur compréhension et que certains mots demeurent malléables ; *vrayement* compte tantôt pour deux syllabes (146), tantôt pour trois (208), comme *M'aist Dieu*, dissyllabique en 56,94... et trissyllabique en 116.

2. Cette ambiguïté se retrouve sur le plan syntaxique.

Dans certains cas, c'est un simple jeu qui crée la surprise sans engager le sens, par exemple aux vers 300-301 :

> Et si mangerez de mon oye
> par Dieu que ma femme rotist[1].

Ailleurs, la construction glisse une idée supplémentaire, comme aux vers 249-253 :

> La toison
> dont il solloit estre foison
> me cousta a la Magdalaine
> huit blans par mon serment de laine
> que je souloye avoir pour quattre.

Il s'agit bien sûr de huit blancs de laine, d'une somme de huit blancs pour la laine ; mais le serment de laine évoque le caractère mensonger des propos du drapier.

Il est d'autres cas où l'on hésite sur le sens : la diversité des traductions en témoigne. Ainsi aux

---

1. Voir aussi les vers 1067-1068, et l'art. d'E. Philipot, *Remarques et conjectures sur le texte de Maistre Pierre Pathelin*, dans *Romania*, t. LVI, 1930, pp. 558-584.

vers 6-7, dont voici deux versions. Celle des Imprimés Le Roy, Levet et Malaunoy :

> Par Nostre Dame je y pensoye
> dont on chante en advocassaige ;

et celle du manuscrit La Vallière :

> Par Nostre Dame je panssoye
> dont l'on chante en advocassaige.

On peut les lire de plusieurs manières,

— soit de manière verticale, d'abord les deux premiers hémistiches, puis les deux seconds : « Par Notre-Dame que l'on chante, je pensais à ce métier d'avocat ;

— soit en faisant du second vers le qualifiant du premier hémistiche : « Par Notre-Dame que l'on chante parmi les avocats, j'y pensais » ;

— soit en suivant l'ordre des deux vers, et *dont* équivalant à « ce dont » : « Par Notre-Dame, j'y pensais, et l'on en jase au barreau ».

Sur les vers 216-217, déjà examinés par Holbrook dans son *Étude*[1]..., on continue à disputer, et l'on peut prendre *qu'* soit pour *qui*, soit pour *que* :

> Encor ay je denier et maille
> qu'oncques ne virent pere ne mere.

Et alors on peut comprendre

— ou bien « j'ai encore de l'argent que ne virent père ni mère », c'est-à-dire selon Genin « ... un trésor caché, un boursicaut, celui d'un enfant qui peut en disposer à sa fantaisie, parce que ni son père ni sa

1. Pp. 78-80.

mère ne lui en demanderont compte», ou de l'argent gagné, et non pas hérité ;

— ou bien «j'ai encore de l'argent qui n'a ni père ni mère», c'est-à-dire «qui n'existe pas».

A ces interprétations, Marc Berlioz (*Rabelais restitué, I. Pantagruel*, Paris, Didier, 1979) fait des objections que l'on peut prendre en considération : 1) on ne voit pas pourquoi Pathelin ferait cette distinction entre argent gagné et argent hérité ; 2) cette interprétation paraît un subterfuge «qui n'est rien moins que vraisemblable puisque Pathelin édifie sa tromperie sur une attitude cordiale et expansive». Il interprète : «*qui ne virent jamais père ni mère*, c'est-à-dire qui n'ont point de parenté, donc point d'attache, donc point d'engagement et qu'ils sont disponibles» (pp. 401-402).

Michel Rousse nous a proposé une autre interprétation : «Il faut considérer le mouvement du dialogue. Guillaume vient d'annoncer à Pathelin que le drap risque de lui coûter plus cher qu'il ne croit. A quoi Pathelin répond que ça n'a pas d'importance, qu'il a de l'argent en réserve, «qui ne virent pere ni mere», c'est-à-dire qui ne sont jamais sortis et sont restés ignorés de tous, même des plus proches ; une épargne secrète. Il a de l'argent «à l'ombre» : il faut en effet rapprocher ce vers du vers 344 où le drapier déclare «Ils ne verront soleil ne lune/ les escus qu'i me baillera,/ de l'an, qui ne les m'emblera». Il s'agit d'une attitude identique et d'une expression symétrique. Le drapier s'apprête à thésauriser, à l'abri de tous regards, les pièces d'or que Pathelin, croit-il, va lui remettre.

Mais il faut faire ici encore la part au jeu sur les mots et les expressions toutes faites dont l'auteur de

Pathelin et son héros sont friands. Je crois donc que l'explication que je propose est celle qui est plausible pour tous et que comprend le drapier. Mais pour Pathelin, le sens « qui n'ont jamais existé » est présent. De même que les écus qui ne verront pas le soleil est un magnifique jeu de mots que l'auteur se paie dans la bouche de son personnage puisqu'il ne recevra jamais ces écus (dans la même position de structure dramatique — monologue de transition où le personnage prévoit ce qu'il croit être un événement favorable — Guillaume déclare au vers 504 « je happerai la une prune... »).

3. Depuis longtemps, on a reconnu ou pressenti les équivoques et les doubles sens des noms et des adjectifs. S'agissant des noms propres, les exemples abondent, à commencer par le nom de Guillaume Josseaume. Si l'on peut hésiter à suivre Madame R. Lejeune[1] qui découvre une allusion au nom d'un moine franciscain qui se répandit en prédications subversives et en propos antipapistes de 1417 à 1439 — était-il encore dans la mémoire du peuple trente ans après ? il faudrait en avoir la preuve — en revanche, le nom de Guillaume appartient à une tradition littéraire qui l'a sans cesse rapproché de *guiler* « tromper », de *guile* « ruse », comme l'a rappelé Roger Dragonetti dans *le Gai Savoir dans la rhétorique courtoise* (pp. 34-35) : « Très vaste, le champ sémantique de ce terme oscille entre l'idée de « ruse » (tromperie, malice, hypocrisie) et de « niaiserie » (bouffonnerie, farce, sottise). C'est le nom de poètes, Guillaume IX de Poitiers et Guillaume de Lorris (et R. Dragonetti

1. *Pour quel public la farce de Maître Pierre Pathelin a-t-elle été rédigée?* dans *Romania*, t. LXXXII, 1961, pp. 482-521.

rapproche Lorris de *loire, loirre, loiret* « leurre »), car il n'est pas d'art sans feinte ; de personnages liés à la ruse, comme Guillaume d'Orange (opposé au Sarrasin Thibaud, le mari trompé), Guillaume au faucon dans un fabliau [1], Guillaume le héros du *Vair Palefroi* [2], Guillaume de Dole dans le roman de Jean Renart [3] qui nous invite à rapprocher Dole du verbe *doler* « façonner » (vers 3655-3656), de *dolus* « tromperie » ; et dans l'œuvre de Rutebeuf Guillaume est lié à l'hypocrisie religieuse.

Notre auteur a joué sur le nom, passant du nom propre au nom commun (vers 389, 996), le drapier utilisant lui-même son propre nom au sens d'« imbécile » : *Et tient il les gens pour Guillaumes* (vers 772) ?

Dans le cas de notre personnage, il s'agit évidemment d'un sot, mais d'un sot qui essaie de tromper ses clients et qui se croit habile. Lui donner ce nom relève de l'antiphrase, ou nous amène à nous interroger sur la sagesse du drapier qui sera trompé par tout le monde, et à plusieurs reprises.

En revanche, par un curieux chassé-croisé, Thibaud, qui désignait le mari trompé comme Arnoul, Arnolphe... ou le niais [4], est le nom du berger qui finira par tromper tout le monde.

Pathelin, feignant de prendre Guillaume pour un *physicien*, un médecin savant et expert (vers 675),

---

1. Ce fabliau comporte dans son titre le jeu de mots (*faucon*) sur lequel repose toute l'intrigue. Voir O. Jodogne, *Répertoire des fabliaux*, Louvain. 1966, t. I, pp. 3-5.
2. Voir l'éd. d'A. Langfors, Paris, Champion, 1957, et notre traduction, Paris, Champion, 1977.
3. Voir l'éd. de Félix Lecoy, Paris, Champion, 1962, et la traduction de J. Dufournet, J. Kooijman, R. Ménage et Chr. Tronc, Paris, Champion, 1979.
4. Voir nos *Recherches sur le Testament de François Villon*, t. II, p. 456.

l'appelle à plusieurs reprises *maître Jehan*, dans un développement introduit par la formule *Par saint Jehan* (vers 632) placée dans la bouche du drapier. Madame R. Lejeune[1] a pensé qu'il pouvait s'agir de Jehan d'Avis, médecin très réputé vers 1460. C'est possible sans être évident, car Jean et ses composés, Jeanjean, Janot, Jenin... étaient devenus des noms communs pour désigner le naïf, le niais, le mari trompé, le faux pédant[2]... Dès lors, appeler le drapier *maître Jehan*, n'est-ce pas, au milieu d'autres injures, le traiter de roi des sots et des cocus ?

C'est sans doute de la même manière qu'il faut expliquer Jean de Noyon au vers 1519. On a proposé plusieurs interprétations qui ne sont pas sans intérêt. Louis Cons, dans un premier temps (*Revue du Seizième Siècle*, t. I, 1913, pp. 473-476) y a vu le nom de l'auteur. Simple hypothèse qui ne nous avance pas dans la mesure où nous ne connaissons pas d'écrivain de ce nom. Mais il a attiré notre attention sur l'acrostiche que constituent les initiales des vers 1519 à 1526 : SI HA NOHM, et tout à l'heure nous verrons ce que nous pouvons en tirer.

Pour U.T. Holmes (*Pathelin, 1519-1522*, dans *Modern Language Notes*, t. 55, 1940, pp. 106-108), il s'agit de Jean de Mailly, évêque et comte de Noyon, consacré en 1426 et mort en 1473. Siégeant parmi les juges de Jeanne d'Arc, il changea de camp avec la victoire du Dauphin Charles et participa dès lors à la réhabilitation de la Pucelle. Il est possible qu'il y ait ici une allusion satirique à ses retournements.

Michel Rousse est enclin, « par pure hypothèse »,

---

1. *Art. cité*, note 25.
2. Voir nos *Recherches...*, pp. 456-457.

dit-il à voir dans Jean de Noyon (à rapprocher de Jean de Lagny, Jean le *lanier* « le paresseux ») le nom de l'acteur qui jouait Pathelin, et le jeu ne manquerait pas de sel : le personnage Pathelin demande au public si on ne le confond pas avec le célèbre acteur qui l'interprète.

En fait, selon nous, Pathelin se moque surtout du drapier et, répondant à toutes ses questions par des dénégations, il le renvoie à Jean de Noyon, au benêt ou au faux naïf (*Jehan*) qui nie : *Noyon* est à rapprocher de *noier*, forme régulièrement issue de *negare*, concurrencée ensuite par la forme analogique *nier*. Calvin fut plus tard appelé Jean de Noyon dans un libellé d'origine rouennaise[1].

Jean du Chemin (*Jehan du Quemin*, vers 896), plutôt que l'abbé de la Croix-Saint-Leufroy, monastère à quelques lieues d'Évreux et avocat en cour d'Église qui figura, avec Thomas de Courcelles, comme juge assesseur dans le procès de condamnation de Jeanne d'Arc (selon R. Lejeune), serait un personnage proverbial, Jean Tout-le-Monde.

Peut-être faut-il expliquer ainsi tous les noms propres. Ainsi la mention de l'abbé d'Iverneaux. S'il existait une abbaye d'Iverneaux, près de Lésigny, à proximité de Brie-Comte-Robert, une maison de religieux augustins qui paraît avoir été mal tenue, il s'agit plutôt d'une abbaye facétieuse, par rapprochement avec *hivernal*, l'hiver et le froid signifiant la misère, la « dèche », la « purée ». Ailleurs, il est question d'un abbé de Froictz Vaulx.

Ainsi en est-il des noms de saints qui ne sont nom-

1. *Variétés historiques et littéraires*, t. V, p. 275 — renseignement tiré de l'art. cité d'E. Philipot, p. 583.

més qu'une fois, le plus souvent en situation, et symboliques pour la plupart[1].

Par saint Leu (vers 1053). Honoré dans la province de Sens, en particulier à Saint-Leu-d'Esserent, il guérissait de l'épilepsie. Le berger le rappelle non sans malice au drapier fou de colère. Mais il y a un jeu supplémentaire dans *par saint Leu, mon maistre*, par sa Sainteté le loup, dont le berger est l'élève et l'émule au lieu de protéger les moutons ; et nous retrouvons cette inversion que nous signalions à propos de Guillaume et de Thibaud.

Par saint Mor (vers 1138). Il s'agit de saint Maur, honoré en particulier à Saint-Maur-les-Fossés par les rhumatisants et les mendiants. Mais le nom du saint est en rapport avec le mensonge du berger qui prétend que les moutons sont morts de la clavelée (vers 1098) et qui est responsable de leur mort.

Par saint Gille (vers 287). Célèbre par sa solitude, ses liens avec les bêtes à cornes, son mutisme, le saint est invoqué comme le patron de la ruse et de la tromperie, de la *gile/guile*, au moment même où Pathelin en appelle à l'Évangile pour qualifier les propos de Guillaume et les siens propres.

Par Saint Mathelin (vers 501). Ici, l'auteur joue sur la rime quasi équivoque *Mathelin/Pathelin*[2]. Le drapier a raison d'invoquer Mathelin, forme populaire courante de Mathurin, patron des fous pour avoir guéri de façon miraculeuse la fille de l'empereur Maximien atteinte de folie démoniaque. En effet, ne faut-il pas être fou pour ajouter foi aux promesses de

1. Voir U.T. Holmes, *Les Noms de saints invoqués dans le Pathelin*, dans *les Mélanges... G. Cohen*, Paris, Nizet, 1950, pp. 125-129.
2. Voir, sur ce saint, notre note dans notre édition.

Pathelin, et n'aura-t-il pas l'impression de devenir fou quand il retrouvera Pathelin dans son lit (vers 710-711 ; 988-990) ?

4. Si les doubles sens des noms communs sont fréquents sans être systématiques pour ne pas gêner le succès dramatique de la pièce, certains s'étendent sur un ensemble plus ou moins considérable de vers ou font l'objet de jeux particulièrement élaborés.

Tout le passage du vers 65 au vers 123 est scandé par le mot *marchand*, nom d'agent masculin (vers 96, 112, 123) ou féminin (vers 65), nom d'action (vers 114), verbe (vers 66). Par un jeu subtil, l'auteur passe d'un sens à l'autre. Au vers 65, *gentille marchande* contient sans doute une allusion aux femmes qui, sous le couvert d'une honnête profession ou d'une vie décente, vendaient leurs faveurs, comme celles que la Belle qui fut heaumière interpelle dans le *Testament* de Villon (vers 553-556). Dans *quel marchant* du vers 96, l'auteur joue sur les sens possibles du mot en rapport et avec *marché* (c'est le client qui marchande ou le vendeur qui bonimente) et avec *marcher* (c'est le coquin qui rôde en quête d'un mauvais coup, le coureur d'aventures et souvent d'aventures amoureuses). Dès lors, le mot *marchand* devient suspect, en particulier au vers 123, quand Pathelin fait l'éloge du père de Guillaume : *Qu'estoit ce ung bon marchant et saige !* Le vers est pris dans son sens direct et flatteur par le drapier, mais l'auditeur comprendra que c'était une canaille.

Villon, dans le *Lais*, avait joué sur le même mot, à propos d'un de ses légataires, *Perrenet Marchand / Pour ce qu'il est bon marchand* (vers 179) ; et cette plaisanterie est reprise dans le *Testament*, à propos de

Jean le Loup, *Homme de bien et bon marchand* (vers 1111)[1].

Le mot *blanc* a donné lieu à des jeux tout aussi subtils, au moins en deux endroits. Aux vers 364-367, on peut commencer à lire le vers 367 en fonction de ceux qui précèdent.

> Le marchant n'est pas desvoyé,
> belle seur, qui le m'a vendu.
> Par my le col soye pendu
> s'il n'est blanc comme ung sac de plastre.

Il s'agit d'un marchand qui n'est pas fou (vers 364-365), et Pathelin l'affirme solennellement. Le blanc pouvait être lié à la tromperie, et on retrouve cette valeur dans des noms de pays (*Blangi*), des titres de chanson de geste ou de roman (*Blancandrin*) et des expressions comme *blanches gens, blanke cire*[2]... Mais en argot le mot *blanc* désignait l'homme simple, niais[3], comme le procès des Coquillards l'a révélé : « Ung simple qui ne se congnoist en leurs sciences, c'est ung sire, ou une duppe, ou ung blanc ». Dès lors, Pathelin affirme à Guillaumette : « Que je sois pendu si ce n'est pas un imbécile (dont j'ai triomphé et triompherai) ». Toutefois, en comparant le marchand à un sac de plâtre, Pathelin revient au sens propre, ou à celui, proche, de « saigné à blanc ».

---

1. Sur tous ces jeux dans Villon, voir notre art. *Les Formes de l'ambiguïté dans le Testament de Villon*, dans *la Revue des Langues romanes* t. LXXXVI, 1982, pp. 191-219, et sur Marchand nos *Recherches...*; t. I, pp. 259-278.
2. Voir nos *Nouvelles Recherches sur Villon*, Paris, Champion, 1980, p. 82.
3. Voir A. Ziwès et A. de Bercy, *Le Jargon de Maître François Villon*, Paris, Waltz-Puget, 1960.

Au vers 774, nous avons un autre jeu : Guillaume, grommelant, parle de Pathelin :

> Il est, par Dieu, aussi pendable
> comme seroit ung blanc prenable.

Premier sens : Pathelin est aussi bon à pendre qu'un blanc, une petite pièce de monnaie, est bonne à prendre — c'est l'avarice du drapier qui ressort d'abord. Mais, si *blanc* désigne le naïf, c'est du sort qui attend Guillaume qu'il est alors question [1].

Aux vers 593-594, cette *robe de blanc* que revêtira Pathelin, c'est le linceul des morts, mais aussi la robe blanche de la fausse innocence, de la tromperie.

L'expression *manger de l'oie* scande la pièce puisque nous la retrouvons six fois. Selon Mario Roques [2], aux vers 300, 500-501 et 698-699, l'expression est employée au sens propre de « manger d'une oie rôtie » ; au vers 1577, il s'agit du sens figuré de « tromperie, moquerie » ; au vers 460 et 701, l'auteur joue sans doute sur les deux sens. On peut penser qu'il a repris et revivifié une expression proverbiale *faire manger de l'oie* qui signifiait « tromper par d'alléchantes promesses ».

Ailleurs l'auteur accumule les doubles sens en un court passage, comme dans le monologue du drapier se rendant pour la première fois chez Pathelin : nous y trouvons *manger de l'oie*, l'invocation *par saint Mathelin* et l'expression *je happeray la une prune* (vers 504). Cette expression pouvait désigner une aubaine, un

---

1. Voir J. Wathelet-Willem, *Un blanc prenable, Pathelin*, dans *Études de langue et littérature françaises offertes à André Lanly*, Nancy, 1981, pp. 385-391.
2. *Notes sur Maistre Pierre Pathelin*, dans *Romania*, t. LVII, 1931, pp. 538-550, et nos *Nouvelles Recherches sur Villon*, pp. 231-233.

bon morceau, comme dans les *Droits nouveaux* de Coquillart (vers 229) :

> Le gallant tire a la bource
> Qui estoit fournie de pecune.
> Du premier traict il vous desbource
> et luy dist : « Tenez ceste prune !

ou dans le *Mystère de la Passion* d'Arnoul Greban (vers 24881), et c'est dans ce sens que l'emploie Guillaume. Mais la *prune* pouvait se rapporter à un mauvais coup (Jean Michel, *Mystère de la Passion*, vers 2299, 22660) et dans ce sens *prune* a été remplacé par *pruneau* ; d'autre part, l'expression *avaler une prune* avait un sens négatif, témoin le rondeau CCXIII de Charles d'Orléans :

> Ce ne m'est que chose commune,
> Obeir fault a ma maistresse ;
> Sans machier, soit joye ou tristesse,
> Avaler me fault ceste prune...

C'est ce que comprennent les auditeurs préparés par la scène précédente.

Il est facile de relever d'autres exemples, sans revenir sur ceux que nous avons signalés plus haut.

Vers 74 : *si me desmentez hardiment* : c'est à la fois « mettre en pièces » et « démentir ».

Vers 89 : *quel que soit en sera couvert* : « habillé » et « pourvu de garanties suffisantes », par antiphrase « trompé » ; cf. v. 359, *couverture.*

Vers 91 : *blanchet* : tissu de laine ordinaire servant de doublure ou petite pièce de monnaie.

Vers 362, 366 : *En ay je ?* Du tissu ; mais l'expression prêtait à équivoque.

Vers 552 : *Quel bas ?* L'auteur joue sur le mot *bas*

« parler à voix basse » ou « dans un lieu bas », et laisse attendre une équivoque obscène, *bas* désignant les parties naturelles de la femme[1].

Vers 853 : *prestrerie* : « nid de prêtres », avec peut-être un jeu sur *prester* « vendre à crédit ».

Vers 879, 883 : *divers* : « différent » et « cruel ».

Vers 893 : *escarbot* « bousier » peut se lire *escar beau*, « bonne plaisanterie ».

Vers 1196 : *se je ne vous paye / a vostre mot* : 1/ « selon vos conditions », « selon vos désirs » ; 2/ « avec votre mot », en vous répondant *bée*.

Vers 1533-1534 : *De vous oncq aulne ne demie / ne prins : je n'é pas le los tel.* Il n'a pas la réputation d'être un voleur ; il n'a pas la réputation de se contenter de si peu.

Ce faisant, on découvre que les propos des personnages, loin de clarifier la réalité, l'obscurcissent, en sorte qu'il est difficile de choisir. Par exemple, quand Pathelin, levant son chaperon, s'écrie :

> Voy ! Nennin, il n'est point pelé
> comme je suis dessus la teste (vers 1511-1512).

Est-ce la tonsure du clerc, comme l'écrit P. Lemercier[2], qui d'ailleurs ajoute que Pathelin peut être chauve aussi bien que tonsuré ? Ou bien faut-il penser qu'il a été rasé pour faire disparaître toute trace de tonsure et qu'il est un clerc dégradé ? D'autre part, on rasait les présumés sorciers pour leur arracher le maléfice de taciturnité.

Il se trouve qu'on rencontre la même difficulté et

---

1. Voir I. Siciliano, *François Villon et les thèmes poétiques du Moyen Age*, Paris, A. Colin, 1934.
2. *Art. cité*, p. 215.

la même incertitude à la fin du *Testament* de Villon, quand il affirme :

> Il fut rez, chief, barbe et sourcil,
> comme ung navet qu'on ret ou pelle[1].

5. Nous avons déjà vu que Thibaud le berger, malgré son nom, est loin d'être sot et qu'on peut s'interroger sur le sens du mot *marchande* appliqué à Guillemette, d'autant que ce prénom était donné aux filles peu farouches, témoin encore le *Testament* de Villon, et que, pour la représenter dans son édition, Pierre Levet se servit de la gravure de la Grosse Margot dans son édition des *Poésies* de Villon. Il se peut donc que Guillemette soit une femme légère qui joue à la femme offensée par la réclamation du drapier et qui feint de craindre pour sa réputation — ce qui serait, par le contraste, une source de comique et une manière de dénoncer, une fois de plus, la sottise du drapier ; ce qui, de surcroît, expliquerait qu'elle soit singulièrement habile à broder sur le canevas esquissé par son époux et qu'elle puisse nommer les différents jargons pour avoir eu des clients dans chacune des « nations » de Paris. Dès lors, on se demandera si elle est seulement la petite bourgeoise, la ménagère avertie, la femme fidèle que certains comme C. Pickford, ont voulu voir en elle.

De même, malgré son nom, Thibaud l'Agnelet qui, après avoir joué à l'idiot devant le drapier, est précis, cynique, gouailleur quand il expose son cas à Pathelin, est-il un berger ordinaire ? N'est-il pas un badin roué qui joue son rôle à la perfection, ou même,

1. Voir nos *Nouvelles Recherches sur Villon*, p. 122.

comme le soutient R. Lejeune, un berger du Pré-aux-Clercs (*ad campos clericorum*) qui dépendait de l'abbaye de Saint-Germain, et alors ne fréquentait-il pas le monde estudiantin ?

L'auteur n'a-t-il pas surtout voulu prendre le contrepied des mystères, où les bergers semblent avoir perdu tout contact avec la réalité et vivre dans un autre monde, dans un monde spirituel, manifestant leur joie à accomplir leur métier : l'état de *bergerie* est *authentique, pacifique, magnifique, mirifique*[1]. L'intrigue des pastorales insérées dans les mystères, et qui sont de plus en plus longues, de plus en plus fragmentées, si elle est pauvre sauf pour la veillée des bergers, décrit une vie aux valeurs inversées, dans laquelle la négation des fausses valeurs entraîne l'imagination vers la représentation d'une existence indifférente aux changements économiques et sociaux, surtout indifférente au temps lui-même. Surtout s'opposent et se superposent les instants homogènes de la pastorale et le flux temporel des événements dramatiques, de larges coupes synchroniques et une perspective diachronique. De surcroît, les bergers découvrent le sens plénier du mystère, premiers agents de la réflexion sur les faits sacrés[2].

Ce qui nous conduit à nous interroger sur la qualité d'avocat de Pathelin. Certes le juge lui accorde de la considération (mais que vaut le témoignage d'un homme qui se laisse facilement berner ?), comme le berger qui, cependant, cherche surtout quelqu'un d'habile pour l'aider à se tirer d'affaire. Il reste que

1. Voir *le Mystère de la Passion de Troyes*, éd. par J. Cl. Bibolet, à paraître dans les *Textes littéraires français*, Genève, Droz.
2. Cf. Joël Blanchard, *La Pastorale en France aux XIVe et XVe siècles*, Paris, Champion, 1983.

Pathelin peut figurer dans un « auditoire », qu'il connaît les ficelles du métier, comme le manifestent les conseils qu'il donne au berger et son attitude à l'audience, même s'il ne résiste pas à la tentation de se vanter :

> Donc auras tu ta cause bonne,
> et fust elle la moitié pire ;
> tant mieulx vault et plus tost l'empire,
> quand je veulx mon sens applicquer.
> Que tu m'orras bien desclicquer,
> quant il aura fait sa demande ! (vers 1127-1132).

D'un autre côté, de quelle manière n'est-il pas traité par Guillemette (*avocat dessous l'orme*, 13, *sans clergise* ni *sens naturel*, 50-51) et par Guillaume (*avocat d'eau douce*, 756, *avocat potatif*, 770) ! Mais leurs jugements sont partiaux. Est-il un mauvais avocat, ou un faux avocat, un de ces clercs prêts à rendre tous les services pour quelques écus d'or, un braconnier en marge de la profession d'avocat ? On peut estimer que les termes péjoratifs de Guillemette marquent son mépris pour l'homme sans lui dénier son titre. Impossible donc de trancher absolument.

6. Les mots et les personnages se révèlent donc ambigus, comme la pièce elle-même qui contient trois farces en une seule, et qui est déjà une comédie.

C'est peut-être pour cette raison qu'on relève tant de traits normands, à propos desquels, et du coup du lieu d'origine de la pièce, les critiques se sont divisés, surtout entre 1920 et 1930.

Halina Lewicka, dans un article substantiel[1], a fait

---

1. *Pour la localisation de la farce de Pathelin*, dans *Bibliothèque d'Humanisme et Renaissance*, t. XXIV, 1962, pp. 273-281.

le point sur la question. Elle a remarqué avec raison que le dialecte le plus fréquent est le picard, que dans *les Vigiles Triboulet* les aptitudes linguistiques du farceur concernent le latin, le picard, le flamand et le français, et que ce peut être un moyen de caractériser le milieu social : dans *Maître Mimin l'étudiant*[1], l'auteur a placé dans la bouche de Mère Lubine nombre de normandismes dont nous retrouvons certains dans *Pathelin.*

Parmi ces normandismes de notre farce, les uns relèvent de la phonétique.

La rime des vers 19-20 peut présenter pour *despeche* le traitement normand de $t+y$; la réduction de *—ye—* en *—e—* est typique de l'Ouest dans *Pere* pour *Pierre* (218,284) et dans les rimes 759-760, 1256-1257, 1266-1267 ; la rime *corsaige/ naige* des vers 163-164 ou *froumaige/arai ge* des vers 443-444, c'est-à-dire le passage de *—a—* à *—è—* devant *—j—* est un trait du Nord-Est et d'une partie des provinces de l'Ouest ; *—o—* en syllabe libre donne *—ou—* et non *—eu—* en Normandie et dans une partie de la Picardie (*seigneur doulx / merdoulx* aux vers 1018-1019) ; quant à la rime *larmes/fermes* (495-496), ce peut être une preuve de prononciation parisienne, où *—er—* s'ouvrait en *—ar—*, aussi bien que normande, où *—ar—* se prononçait *—er—* ; *—ui—* rime avec *—i—* (vers 988-989 et 1378-1379) ou avec *—u—* (vers 673-674) : ce dernier phénomène est propre à la Normandie et à l'Ouest.

Les autres normandismes sont morphologiques : *avez vous* devient *av'ous* (vers 622,1256) dans les textes normands ; *donge,* le subjonctif de *donner* (vers 720) et *serrez* pour *assierez* (vers 139) sont propres à l'Ouest,

---

1. Cf. éd. d'A. Tissier, Paris, CDU-SEDES, 1976.

mais il n'est pas sûr qu'*entre vous* (vers 317) soit un trait purement normand.

Pour le vocabulaire, on relèvera *flageoler* qui n'a les sens figurés de « lambiner » (v. 1448) et de « marmotter » (v. 733) qu'en Normandie ; si *bergerie* a le sens de « troupeau de bêtes à laine » au vers 1457, c'est un sens propre aux dialectes de l'Ouest ; le suffixe des noms d'agent en *—asse* (*rïace*, 765) a été productif dans les dialectes de l'Ouest, et *par le peril de mon ame* (368), *male feste / m'envoit la saincte Magdalene* (308-309) semblent propres à la Normandie.

Le passage en normand est, de surcroît, d'une justesse frappante, et l'auteur y a employé des éléments très particuliers comme nous le montrons dans notre étude sur le *bée*.

Quant à l'usage des monnaies, on peut admettre que la Normandie, dans une bande à l'ouest de l'Epte, en bordure de l'Ile-de-France (en particulier à Gisors, Vernon, Evreux, les Andelys), a compté en deniers parisis — ce qui a poussé H. Lewicka à proposer, avec prudence, Evreux comme lieu d'origine de la farce.

A quoi on peut opposer de solides arguments. Entre autres : le retrait des rentes, qui a été imposé en 1441 à Paris et à ses faubourgs par une ordonnance de Charles VII, n'a été étendu en Normandie qu'en 1553. Le sergent qui porte l'assignation à Thibaud (vers 1022, 1024) est un sergent à verge chargé d'instrumenter à Paris même et aux environs. Le juge seigneurial le « maire » ou le « prévot », qui tenait les plaids à jour et à heure fixes et siégeait seul, en prenant au besoin conseil des prudhommes présents, rappelle ces nombreuses juridictions seigneuriales de la capitale, appartenant aux églises et aux communautés monastiques, en particulier à l'évêque et à l'abbé de Saint-

Germain des Prés[1]. Enfin, on a l'impression d'une grande ville avec sa foire hebdomadaire, où un personnage douteux, qui a subi la peine du pilori, peut continuer à faire des dupes, à se présenter en homme de loi, et même être invité à souper par le juge.

Compte tenu de tous ces éléments, on peut conclure qu'*il s'agit d'une pièce parisienne, dont les traits dialectaux normands* — privilégiés par rapport au picard, plus nombreux qu'à l'habitude et utilisés à l'ordinaire pour qualifier un personnage — *ne sont pas dépourvus d'une signification emblématique*[2], et sont à mettre en rapport, plus particulièrement, avec le fonds proverbial, sans oublier ni le personnage du traître Acelin, un Normand, dans le *Couronnement de Louis*, ni, dans le *Roman de la Rose*, Malebouche accompagnée de Normands pour garder la porte de derrière du château où Bel Accueil est maintenu en prison. Quoi qu'il en soit, toute une série de proverbes permet de dessiner le portrait des Normands tels qu'on les voyait autrefois ; nous les empruntons au *Livre des Proverbes* de Leroux de Lincy :

> — Gars normand, fille champenoise
> Dans la maison toujours noise.
> — Jamais Rousseau ni Normand ne prens ni crois à serment.
> — Le Normand traït l'Orient et l'Occident.
> — Rousseau françois, noir Anglois,
> Blanc italien, ce sont trois,
> Et le Normand de tout aage,
> A qui ne se fie la sage.
> — Roux François, noir Anglois et Normands de toute taille, ne t'y fie si tu es sage.

---

1. Voir P. Lemercier, *art. cité*, p. 219.
2. Même si certains de ces traits demeurent ambigus.

— Qui fit Normand, il fit truand.
— Un Normand a son dit et son dédit.
— Il estoit de Caen en France, c'est-à-dire franc Normand et vray *traiflagoulamen*, estant doué de toutes les rares qualités que tout le monde attribue aux Normands, épiloguées en ce moment et désignées dans les cinq syllabes de *traiflagoulamen*, car il estoit traistre, flatteur, gourmand, larron et menteur (*Illustres Proverbes*).

Ce dernier texte n'est-il pas le portrait quasi complet de Pathelin et des autres personnages de la pièce ? L'accumulation des normandismes ne souligne-t-elle pas que la farce est la pièce de la tromperie, de l'ambiguïté et de la fausse apparence ?

III

LA PAROLE ET LE POUVOIR[1]

C'est le langage qui est le moteur de l'action et de la tromperie, en sorte que la farce est une comédie du langage et de sa puissance. Langage de la flatterie, d'abord : Pathelin fait l'éloge du drapier et de son père, puis de sa marchandise, si bien que Guillaume, après avoir déclaré à Pathelin qu'il pourrait choisir parmi les pièces de tissu même s'il n'avait pas un sou (vers 224-226), ne peut pas refuser de prêter à Pathelin six aunes de drap pour quelques heures, d'autant plus qu'il a été invité à dîner et que son père ne refusait jamais une telle invitation. Le langage devient un piège pour le drapier qui ne peut le dominer. Ailleurs, il constitue un mur infranchissable qui ruine toute possibilité de dialogue, quand Guillemette empêche Guillaume de s'exprimer par ses injonctions, par ses interrogations agressives, par ses exclamations, ou quand Thibaud oppose son *bée* à toute question.

1. Nous avons élaboré cette partie avec l'aide très précieuse de notre élève Sylvie Lesné que nous remercions bien sincèrement.

Le langage sert moins à communiquer qu'à agir sur son interlocuteur et à le dominer, il livre le sens au public et le cache au personnage, il dit et ne dit pas.

Derrière les jeux linguistiques, le véritable enjeu du texte est celui du pouvoir, pouvoir des mots, pouvoir de l'argent, pouvoir de la comédie qui dévoile peu à peu le vrai visage des relations humaines, en réalité lutte impitoyable pour s'assurer le contrôle d'autrui et s'imposer au monde. Les personnages de la pièce apparaissent comme des types nés d'une volonté de puissance certaine : le drapier est devenu commerçant pour fonder sa puissance sur la richesse ; le juge a choisi la loi pour bâtir sa puissance sur le droit ; le berger tire son pouvoir des seules forces dont il peut disposer, du désir et des passions ; Pathelin, enfin, s'est voulu avocat pour construire sa puissance sur la parole, puissance qui ne l'établit ni dans le domaine social, ni dans le domaine psychologique.

Les relations qui unissent pouvoir et parole dans *la Farce de Maître Pierre Pathelin*, sont ambiguës, puisqu'à l'arrière-plan elles découvrent le malaise qui leur permet d'exister : celui du décalage entre l'individu et le monde qui naît des rapports fictifs au réel instauré par un langage truqué. Car c'est bien dans cette puissance du trucage qu'on éprouve le pouvoir de la parole et ses limites.

La propre de la farce est de mettre en évidence les ressources et la force d'un langage qui crée et anime un monde fictif. La parole apparaît comme un phénomène prégnant qui tend à l'autonomie, mais que le canevas attendu de la progression réduit à l'impuissance. La parole de Pathelin, tout entière tournée vers le pouvoir, reproduit exactement la relation de la farce aux mots : elle éprouve de façon paroxystique la puissance du dire en tentant de la transformer en puissance tout court, si bien que le personnage de Pathelin est une personnification de la farce elle-même, lancée dans l'expérience du verbe et de ses limites. De là sa position centrale et sa présence réitérée au cours de la pièce : il est le point de convergence de son enjeu permanent, il formule et illustre l'essence d'une parole dont il éprouve l'existence, en lui trouvant des implications dans la vie sociale.

La parole de Pathelin est mesurée à l'aune du pouvoir, puisqu'elle est mise à l'épreuve des affrontements humains dans ce qu'ils ont de plus dissimulé et de plus âpre.

La construction de la pièce en trois grandes masses (vol du drap — délire — jugement) s'éclaire si l'on songe que chacune représente une phase particulière de la relation du pouvoir et de la parole, et que la farce entière se pose comme une somme analytique où sont successivement examinées la naissance, la vie et la mort du langage. Le premier volet présente la parole comme la conséquence d'un manque de pouvoir, le second la caractérise comme étant l'invention du pouvoir, la troisième, enfin, la démasque en démontrant qu'elle n'est que l'illusion du pouvoir.

Ainsi l'intrigue est-elle placée au service d'une résolution pessimiste de la dialectique du pouvoir et de la parole.

La parole, dès le début de la farce, apparaît comme la seule chance de salut du couple formé par Pathelin et sa femme, elle est de l'ordre de la conservation : à la nullité sociale Pathelin oppose la force de la parole et, ainsi armé, se lance à la conquête d'un pouvoir dont il découvrira progressivement la vraie nature. La parole est l'indice d'une relation conflictuelle au monde qu'il s'agit de résoudre (Pathelin) ou d'accepter (Guillemette). Le premier part du constat de son impuissance économique pour le dépasser : sa parole d'avocat tend à inverser les données de la situation réelle pour tenter de la modifier, l'absence d'argent deviendra l'indice de sa présence grâce à la dynamique de la promesse. Et effectivement l'appropriation rhétorique d'un pouvoir économique virtuel mène au pouvoir économique réel, puisque Pathelin, en jouant à l'acheteur muni d'argent, parvient à s'emparer du signe tangible de la puissance matérielle, du drap : le traitement pathelinesque du langage consiste à (faire) prendre le mot pour argent comptant. Mais, pour ce faire, la parole rompt le contact avec un réel inacceptable, elle engendre l'espoir en donnant à l'individu les moyens de lutter.

A l'inverse, pour qui veut y voir l'expression exacte de la réalité, la parole donne les moyens de se résigner, celle de Guillemette se crispe sur le constat du manque. La parole de Guillemette est une parole de l'identité sociale : c'est en reproduisant verbalement le réel que son existence de femme du peuple lui apparaît, cautionnée par le malheur. S'effacer devant le réel en l'exprimant tel quel, c'est se nier en tant qu'être de désir et de révolte, c'est abdiquer son propre discours pour reproduire le discours dominant (vers 379-381). Guillemette déroule une parole apprise qui voue l'individu au fatalisme (vers 480-483).

Pour garder le contact avec le réel, il faut se déposséder de la parole, en reproduisant la logique de l'ordre en place ; pour s'approprier la parole, il faut sortir du réel, s'enfoncer dans l'irrationnel du langage désocialisé à la manière de Pathelin.

La parole est vouée à la pure rhétorique. La puissance du mot ne s'exerce jamais sur le réel directement, mais plutôt sur les individus. La parole est signe d'impuissance : pour que les mots aient du poids, il leur faut engager le réel, ce qui n'est possible que par l'argent qui transforme le dire en faire. La parole de Pathelin ne peut devenir une parole de l'engagement et de la libération, puisqu'elle est condamnée à se faire l'écho de la puissance (ou de l'impuissance) que confère l'argent. Ainsi à la fin de la pièce, de nouveau.

Mais, s'il est vrai que la parole est l'expression d'un manque de pouvoir chronique, il ne faut pas cependant croire que son inanité première lui interdit de développer d'autres formes de pouvoir qui, cette fois, ne renverrait qu'à elle. Débarrassée de la perspective paralysante des conséquences, la parole s'épanouit en effet dans la violence revendicatrice et l'activité ludique profanatrice en devenant ainsi pour l'individu une ère (aire) de liberté.

Ainsi, à l'occasion de la flatterie adressée au drapier, Pathelin met en place une parole contestataire dirigée contre l'aristocratie et la bourgeoisie. Son discours sur la filiation (à partir du vers 142) vise à montrer le caractère factice de la rhétorique aristocratique. Il démantèle tout un code d'identification qui ruine le concept de la supériorité aristocratique : des mots comme *lignage*, *vaillant*, *bachelier*, *prudomme*, sont vidés de leur sens et ravalés au rang d'ornement du discours. Ce qui est symptomatique d'une société en mutation, où le statut des individus est de moins en moins net : le drapier est un commerçant filou, un créancier têtu et naïf, un maître sans autorité, la victime impuissante d'une justice partiale. Les cadres de la société traditionnelle semblent inadaptés à la réalité humaine : les possédants ont une conscience de dépossédés, les déshérités s'affirment plus redoutables que les puissants. Ainsi du berger, serviteur opprimé, puis accusé retors, qui contrefait l'idiot de village avant de jeter le masque et de révéler ses talents de larron patenté. Toutes ces virevoltes sont permises par une parole qui cultive les apparences en les isolant des vérités profondes dont elles étaient l'indice.

La parole de Pathelin constitue une force subversive, car elle dévoile, à mesure qu'elle les exploite, les artifices oratoires qui cautionnent les écarts hiérarchiques ; de là une vision révolutionnaire de la société dans laquelle les individus usurpent des droits et des fonctions pour lesquelles ils n'ont aucune compétence (vers 58-61). La parole conduit à une prise de conscience étonnée de l'absurde de la condition humaine et des fondements discriminatoires de la société.

Mais cette prise de conscience n'atteint jamais la dimension tragique, elle devient un ressort comique qui fait de Pathelin un personnage facétieux, oscillant entre la plaisanterie bouffonne (le vol du drap, le procès) et le grotesque inquiétant (la scène de la maladie). La parole contestataire cède la place à une parole récréative qui, après s'être rebellée contre le manque de pouvoir social, s'efforce de le réinventer. La parole devient une façon de conquérir une place de choix dans la société et de s'octroyer les attributs inhérents au pouvoir : le prestige, le respect, l'admiration, l'autorité (vers 9-10, 14-17). La parole agit sur les individus grâce à son pouvoir de suggestion. L'orateur ôte à l'interlocuteur son statut de sujet pour faire de lui l'objet du discours, au sens double du terme. La flatterie joue sur la faiblesse et l'imperfection humaines, sur la vanité du drapier, sur l'orgueil professionnel du juge.

La parole cultive, pour cela, une fluctuance qui fait se succéder les registres, s'entrecroiser les valeurs : peu à peu, la réalité se brouille, devient opaque (vers 1122-1123), car c'est dans l'inversion du juste et de l'injuste, du bien et du mal que le pouvoir de la parole s'exerce le plus fortement.

L'homme devient la conscience centrale chargée de réorganiser la mouvance de l'univers.

La parole est un phénomène de création qui substitue au non-sens le délire ludique de l'invention verbale. Pathelin se livre à une reconstruction de l'univers en dehors du carcan des mentalités et de l'idéologie du temps. Cette reconstruction est abordée par le biais du pittoresque verbal et surtout de l'illusion théâtrale, quand la réalité devient le produit de la seule parole qui tend à réorganiser le monde à partir de nouveaux codes (vers 460-469) : nommer la chose, c'est la faire exister. La parole humaine, à l'égal de la parole divine, reprend le schéma cosmogonique du souffle créateur pour inverser les valeurs fondatrices de la société traditionnelle.

De là les deux dimensions de la pièce qui en constituent l'ambiguïté fondamentale. La création verbale est prétexte à une prolifération de registres antagonistes dont la confrontation est la source principale du comique. C'est le côté rose de la pièce, la virulence s'y résout en s'exprimant à travers l'insolence drôlatique des personnages et les décalages psychologiques des situations. Mais l'absurde confère aussi à la pièce « un côté sombre », une dimension tragique où le rire se fige en une inquiétante grimace. La pièce cultive en effet une logique de la transgression qui passe par une

« rhétorique noire » : celle-ci atteint son paroxysme lors de la scène du faux délire quand Pathelin mime par les mots la folie, puis la mort imminente. Le jeu suscite le malaise. Le malaise se crée au prix d'un sacrilège de plus en plus poussé qui anéantit la parole christianisée (vers 613-614). La parole exprime une violence latente qui se résout dans l'ordure et la scatologie (vers 667-668) ; elle se retourne contre elle-même en rejetant toute cohérence, échappant au contrôle de l'homme. De là la terreur du drapier. Cette déshumanisation du langage est une remise en cause de Dieu, la substitution à la parole divinisée du verbe désacralisant.

La création verbale fait de l'homme le rival de Dieu, s'inscrit dans l'effort que fait l'homme pour se réapproprier le monde dédivinisé qui n'a d'existence que dans et par les mots. La parole réduit l'être à une absence : Pathelin joue à l'acheteur, le drapier à l'honnête marchand, et ils se font passer pour ce qu'ils ne sont pas. A la fin, ils ne sont plus rien, pas même ce qu'ils croyaient être. *Pathelin* est aussi un drame de l'identité. Toutes les tentatives de Pathelin pour choisir son mode d'être échouent : tout à la fois dominé et dominateur, larron et avocat, trompeur et trompé, il retrouve sa nullité sociale originelle et se révèle victime de la parole par laquelle il réinventait son existence : celui qui croyait posséder les mots est à son tour possédé par eux et réduit au silence.

Le monde apparaît comme un vaste théâtre où la parole du désir se change en parole du délire, à travers laquelle l'homme prend ses désirs pour des réalités, et où les êtres, en interprétant la réalité proposée par la parole, sont réduits à l'état de bouffons et de pantins dérisoires.

La parole condamne ainsi l'être à une errance perpétuelle. Elle ne construit rien, elle est fondamentalement l'expression d'un doute jamais dépassé : ainsi, quand le berger vient trouver Pathelin, celui-ci pense aussitôt que c'est le drapier. Pathelin est voué à l'instabilité et à l'inquiétude. Dès qu'il fait mine de se reposer sur sa maîtrise verbale, celle-ci lui fait défaut. Devant Thibaud l'Agnelet, Pathelin fait montre de ses talents de jongleur de mots ; en retour, sa parole sera frappée d'inanité ; il sera châtié par plus fort que lui, après avoir constaté l'échec des procédés de sa rhétorique habituelle, la flatterie (vers 1550-1554), la forfanterie, la menace (vers 1562-1566). Or, si l'on se rappelle que pour Pathelin *être* et *parler* s'équivalent, c'est la mort symbolique du personnage principal, c'est-à-dire de la farce elle-même qui permet à la pièce de s'achever. La déroute finale de Pathelin illustre l'échec de l'homme pour s'approprier le langage et se rendre maître des mots. Échec d'autant plus tragique que l'individu, abandonné par sa parole au milieu du monde chaotique qu'elle lui a révélé, renonce à être : Pathelin se réfugie vers l'autorité qu'il a jusqu'alors niée, pour faire valoir son droit (vers 1595-1599). Pathelin prétend réintégrer le monde socialisé, après avoir été chassé de l'univers asocial de la parole où il s'agissait seulement de mimer. Pathelin, comme exilé après les ravages de sa rhétorique carnavalesque, est voué à l'anéantissement solitaire dans l'univers absurde où le silence de la parole retentit douloureusement.

Cet échec concerne l'homme, et la parole elle-même. Dans *Pathelin*, les mots détruisent, mais ne construisent pas ; ils contestent, mais ils ne libèrent pas. A la fin comme au début de la pièce, la parole reste liée à l'argent, malgré l'émancipation de la scène du délire. Les tirades finales de Pathelin tendent à prouver que la parole ramène à un souci mercantile : aliénée par l'argent, la parole, après avoir été l'évocation d'une liberté possible, est la démonstration d'une aliénation invincible. La parole apparaît comme la négation de tout pouvoir de l'homme sur le monde. Mais, pour avoir enfanté l'absurdité et le chaos, elle devient à son tour dérisoire : la chute du signifié entraîne celle du signifiant.

C'est à travers le *bée* énigmatique du berger, point d'aboutissement de toute la pièce, que s'achève l'aventure d'une parole qui, en cherchant à effacer les limites de l'homme et du monde, tentait de conquérir sa propre liberté. Ce *bée* fige la parole dans son ultime faillite, celle du non-sens auquel elle parvient après l'odyssée pathelinesque. Le *Bée* symbolise l'hébétude de l'homme livré à une parole inerte dans laquelle il lit son propre vertige.

En conclusion, si le pouvoir passe par la parole, la parole est la négation méthodique de tout pouvoir : elle dépeuple peu à peu l'univers de son déterminisme théocentrique et de ses interdits religieux. A une parole de l'adoration, de la soumission et de la contemplation succède une parole de la transgression, de la rébellion et de la contestation. Exutoire et catharsis de l'homme, elle devient agent d'écart entre l'homme et le monde. Elle fonde dès lors une problématique existentielle et littéraire résolument moderne où les mots, seuls, offrent à l'homme une chance de réinvestir le monde.

Pathelin est donc un étrange monstre qui allie le pittoresque et la spontanéité corrosive de la farce à la profondeur et à la complexité d'un texte « universitaire ».

Jean Dufournet.

AUTOUR DU BÉE DE PATHELIN
JEUX LINGUISTIQUES ET AMBIGUÏTÉS[1]

Sans doute s'agit-il d'un petit problème, mais il permet de toucher à des questions importantes, comme la genèse d'un texte littéraire et les préoccupations de la génération de Louis XI.

Bien entendu, le monosyllabe *Bée* qui ponctue la troisième partie de la *Farce de Maître Pierre Pathelin* n'a cessé de frapper les commentateurs et les metteurs en scène, eu égard à son importance et à sa fréquence. Un feu d'artifice verbal illumine toute la pièce, mais le bouquet qui la couronne éclate avec la victoire d'un monosyllabe dépourvu apparemment de sens, avec le *bée* moutonnier de Thibaud l'Agnelet dont Jean Frappier a écrit[2] :

---

1. Pour cet article, nous avons utilisé certaines suggestions très stimulantes de Jean-Marie Privat que nous remercions bien sincèrement.
2. *La Farce de Maître Pierre Pathelin et son originalité,* dans *Du Moyen Age à la Renaissance. Études d'histoire et de critique littéraires,* Paris, Champion, 1976, p. 256.

> « C'est le triomphe de Sire le mot, mais, savoureuse et paradoxale ironie, d'une simple onomatopée qui ne veut rien dire et qui dit tout ».

Jean Guilloineau [1], qui a modernisé la pièce pour la monter en 1962 avec le Théâtre antique de la Sorbonne, rapprochait les bêlements du berger des ricanements du *Tueur sans gages* d'E. Ionesco.

Cette onomatopée est effectivement le mot-clé de la troisième séquence de *Pathelin* qui, à elle seule, comme l'a montré Michel Rousse [2], équivaut à une farce. Elle s'impose en trois mouvements, avec une précipitation de plus en plus grande qui finit par submerger la pièce.

Elle apparaît dans les propos de Pathelin, au vers 1168, quand celui-ci prépare avec le berger, venu requérir ses services, la scène du tribunal. C'est une simple mise en place, avec trois emplois (vers 1168, 1173, 1190) qui fondent un comique de la complicité.

Ensuite, durant la scène du tribunal où l'avocat et le berger affrontent le juge et le drapier, la prolifération de *bée* ressortit au comique de la répétition en trois temps, puisque le berger répond d'abord au juge (du vers 1301 au vers 1304, trois *bée*), puis à l'avocat (du vers 1384 au vers 1393, sept *bée*) — avec un double jeu supplémentaire, puisqu'à voix basse Pathelin encourage le berger qu'il traite de fou à voix haute, et qu'il redouble les propos du juge (on comparera les vers 1301-1304 aux vers 1384-1389) — enfin, au juge et à l'avocat, quand il est déclaré absous (vers 1475,

---

1. *Bulletin nº 5 du Groupe du Théâtre antique.*
2. *Le Rythme d'un spectacle médiéval, Maistre Pierre Pathelin et la farce,* dans *Missions et démarches de la critique (Mélanges J.A. Vier),* Paris, Klincksieck, 1974, pp. 575-581 (*Publications de l'Université de Haute-Bretagne*).

1493, 2 fois). Au total ; douze *bée* répartis en trois développements.

Pour finir, après que le drapier lui-même eut repris l'onomatopée sous la forme *Bée dea* (vers 1507), dans la dernière scène de la pièce, quand Pathelin et le berger se retrouvent seuls et que le premier entend se faire payer du second, les *bée* prolifèrent, se précipitent (21 en moins de 50 vers), liés au comique de l'inversion qui, couronnant et signant la pièce, marque la double défaite de Pathelin et de la parole.

L'onomatopée est donc un facteur indéniable de comique, mais peut-on en rester à cette explication, eu égard à la multiplicité de ses emplois et à un art très fin de la préparation ?

II

En effet, ce que montre une étude attentive de cette pièce, c'est tout un jeu subtil de préparations, qui annonce la scène finale en tissant des rapports avec d'autres ensembles plus ou moins importants, qui sont au moins au nombre de quatre.

I. Première constatation : la pièce tout entière tend à s'organiser en ensembles autour de mots-clés. Ainsi les soixante premiers vers s'appuient sur deux registres, ceux de l'avocat (*avocassoye — advocassaige — advocat dessoubz l'orme, advocas*) et, à partir du vers 44, de la tromperie (*tromper, tromperie, trompacion*) ; ensuite, du vers 65 au vers 123, nous avons des variations sur *marchand, marchander* et *marchandise* ; à quoi succède une série sur la ressemblance (vers 124-125, 144, 146, 154-156, 164, 169, 176), toutes séquences qui ont un rapport avec la tromperie par la parole, et qui trouvent leur aboutissement dans le *bée* final, ultime moyen et expression de la tromperie.

2. Le début de la seconde partie (du vers 507 au vers 600, jusqu'au réveil de Pathelin) s'organise autour du mot *bas*, en particulier de l'expression *plus bas*, avec une équivoque :

> Quel bas ? Voulez vous en l'oreille ?
> au fons du puis ? ou de la cave ? (552-553)

L'on découvre ainsi trois séries de jeux phoniques autour de la consonne B, qui annoncent les *bée* de la troisième partie.

L'une très brève, qui reproduit un jeu des rhétoriqueurs en [bo] :

> Lors se mist dessoubz le corbeau.
> « Ha !, fist il, tant as le corps beau... (445-446)

L'autre, plus longue, que nous venons d'évoquer en [ba].

Le troisième, tout au long de la pièce, en *bieu* [byoe], qui est une déformation de *Dieu*, et que nous trouvons en toutes sortes de formules plus de quinze fois :

> par le sanc bieu
> maugré bieu
> par la mort bieu
> jerni bieu, or regni je bieu
> par le corps bieu
> par le char bieu
> biou (au vers 836).

3. D'un autre côté, *bée* se trouve pris dans un autre réseau de mots commençant par B et désignant la parole, disséminés dans l'œuvre ou regroupés en

séries, comme *bretter, braire, barbouiller, barboter, barbeloter, brouiller, babiller,* sans parler de *bave, baver, baverie.*

4. Enfin, cette scène finale est annoncée et préparée par le passage en normand qui se trouve à peu près au milieu de l'ensemble de la *Farce de Maître Pierre Pathelin,* et dont on n'a peut-être pas encore mesuré toute l'importance :

> Or cha, Renouart au tiné !
> Bé ! dea, que ma couille est pelouse !
> El(le) me semble une cate pelouse 888
> ou a une mousque a mïel.
> Bé ! parlez a moy, Gabrïel.
> Les play(e)s Dieu, qu'esse qui s'ataque
> a men coul ? Essë une vaque, 892
> une mousque ou ung escarbot ?
> Bé ! dea, j'é le mau saint Garbot !
> Suis j[e] des foyreux de Baieux ?
> Jehan du Quemin sera joyeulx 896
> mais qu'i sache que je le sé(e).
> Bee ! par saint Miquiel, je beré
> voulentiers a luy une fes !

Passage d'une justesse étonnante, comme l'a fait remarquer Halina Lewicka[1] : « L'auteur ne s'est pas contenté d'y accumuler quelques traits bien typiques, tel le *k* au lieu du *ch* français, *ou* correspondant à *eu*, *e* à *oi.* Il emploie une forme bien normande comme *foureux* pour *foireux* (*du moins dans certaines versions*), il scande *mïel.* On sait que Philipot, excellent connaisseur des textes de l'Ouest, a vu dans cette dièrèse une preuve que l'auteur de *Pathelin* possédait à fond le

1. *Études sur l'ancienne farce française,* Varsovie, PWN, et Paris, Klincksieck, 1974, pp. 91-92 (*Bibliothèque romane et française de l'Université de Strasbourg,* série A, 27).

dialecte de la Normandie. Le passage fait allusion à plusieurs traditions propres au pays normand. Tout en laissant de côté les fantaisies de L. Cons sur une visite à Saint-Leufroy de saint Gabriel et de saint Michel, il n'est guère besoin de rappeler ce que le culte de ce dernier surtout était en Normandie. L'histoire du miracle de saint Gerbold, qui n'a sans doute rien à voir avec l'abbé du même couvent et qui est particulièrement bien amenée par le prétendu mal de Pathelin, témoigne de la bonne connaissance d'une légende bayeusaine. Jehan du Quemin ou du Chemin, qui n'est probablement pas plus identique à l'abbé de Saint-Leufroy, apparaît comme un personnage proverbial, à côté de Vincent Faulce Chose dans les *Menus Propos,* texte rouennais datant de 1461 ».

Passage fort bien écrit, qui nous introduit dans un climat de fête populaire, voire de fatrasie, par ses allusions à la sexualité (*que ma couille est pelouse*!), à la scatologie (*men cul* au lieu de *men coul* dans certaines versions, *le mau saint Garbot,* la dysenterie, les *foyreux* — ou *foureux* — de *Baieux*), par la multiplication des animaux (*cate pelouse, mousque a mïel, vaque, mousque, escarbot...*) et par son esprit parodique de la chanson de geste et de la religion : il est question de *Renouart au tiné*[1], et ce tinel peut avoir une connotation sexuelle, de Gabriel qui joue un rôle important dans *la Chanson de Roland,* où il prend le gant que tend à Dieu le héros mourant (vers 2389-2390), il emporte son âme en Paradis avec saint Michel — mentionné dans *Pathelin* au vers 898 — il monte la

1. J. Wathelet-Willem, *Quelle est l'origine du tinel de Rainouard?* dans le *Boletin de la Real Academia de Buenas Letras de Barcelona,* t. XXXI, 1965, pp. 355-364.

garde auprès de Charlemagne pendant ses songes (vers 2526-2527, 2846-2847), il le bénit (vers 2848), il l'encourage pendant son dur combat contre Baligant (vers 2610-2613) et, de nouveau, à la fin de l'œuvre, il transmet les ordres de Dieu à Charlemagne ; et c'est aussi saint Gabriel qui annonça à Marie qu'elle serait mère de Jésus-Christ. Remarquons que *la Chanson de Roland* est évoquée au vers 27 de la pièce.

Or c'est dans ce passage qu'apparaît pour la première fois l'onomatopée que nous étudions, au terme d'une subtile progression :

887. Bé dea ! que ma couille est pelouse !
890. Bé ! parlez a moi, Gabrïel !
894. Bé dea ! j'é le mau saint Garbot !
898. Bee ! par saint Miquiel, je beré...

Nous retrouvons ici une des habitudes de l'auteur qui prépare ses jeux, même d'assez loin. Ainsi quand il reprend le lieu commun du *rire en pleurs*[1]. Il est annoncé aux vers 494-495.

PATHELIN
Or ne riez point !
GUILLEMETTE
Rien quiconques,
mais pleureray a chaudes larmes.

Il est exprimé au vers 792 par Guillemette :

Par ceste ame, je ris et pleure
ensemble...

1. Voir notre édition de *François Villon, Poésies,* Paris, Imprimerie nationale, 1984, p. 34.

et rappelé par Pathelin, avec une variation, au vers 1287 :

> Je sans mal et fault que je rie !

Il reste que toutes ces séries, qui ont un rapport avec notre *bée*, nous aideront à l'interpréter tout à l'heure.

III

Si, sortant de la pièce, nous situons le *bée* dans de plus vastes ensembles, en recourant à l'intertextualité, nous découvrons, en amont et en aval de la farce, des œuvres qui se sont interrogées sur la lettre B.

Comme il ne s'agit pas de faire une enquête complète, nous nous référerons à deux œuvres seulement, dont l'une est *Li Abecés par ekivoche* d'Huon le Roi de Cambrai [1], et l'autre *l'Apologie pour Hérodote ou Traité de la conformité des merveilles anciennes avec les modernes* [2] d'Henri Estienne.

L'Abecés d'Huon le Roi s'insère dans un ensemble dont A. Langfors a signalé plusieurs témoins. Ainsi un texte latin du 12e siècle, qui servait à l'interprétation des songes et qui a été presqu'aussitôt traduit, présente le B comme annonçant la puissance : « B significat dominationem in plebe », ce qui donne dans la tra-

1. Ed. d'Arthur Langfors, *Huon le Roi de Cambrai, Œuvres, I. ABC — Ave Maria — La Descrissions des relegions,* Paris, Champion, 1925, (*Classiques français du Moyen Age,* 13).
2. *Apologie pour Hérodote ou Traité de la conformité des merveilles anciennes avec les modernes. Nouvelle édition faite sur la première, augmentée de tout ce que les postérieures ont de curieux, et de remarques par Mr. Le Duchat, avec une table alphabétique des matières,* t. I, seconde partie, La Haye, Henri Scheurleer, 1735, pp. 491-495.

duction : « B (*senefie*) grant seignourie » — ce qui n'est pas sans rapport avec notre texte, puisque le *bée* permet de l'emporter sur le drapier, puis sur Pathelin.

Sans parler des poésies pieuses comme *ABC Plantefolie* et *ABC Nostre Dame* de Ferrant, mentionnons le rôle de l'alphabet dans les blasons ; ainsi pour le vin : « les trois B dient q'il est bons, beus et bevale ».

Quant à *l'Abecés* d'Huon le Roi, qui demeure le plus intéressant, il oppose l'A, lettre de l'*avoir*, au B, lettre du *bien* :

Ne puis nul bien nommer sans B.
Quant jou di bien, mout petit bé. 36
Par B commencent li bien fait,
Ne ja sans B n'ierent bien fait.
Pour çou di jou qu'endroit B a
Mains de convoitise qu'en A.

Dans *Pathelin*, il y a une utilisation ironique de ces considérations : le bien que l'on obtient par la tromperie, est tout matériel.

Trois siècles plus tard, dans un tout autre sens, Henri Estienne a consacré à cette lettre une note de son *Apologie*, dans le chapitre XXI intitulé *De la lubricité et paillardise des gens d'Eglise,* pour éclairer un passage particulièrement critique :

« ... de faict alors il faloit qu'un bon prestre enluminé comme le Boy de Beati quorum pour servir comme d'estalon ou de taureau banier à tout un grand villaje ».

Voici le texte de cette note :

« *Comme le* Boy *de* Beati quorum etc). Le *Boy*, c'est la lettre B. L'Advis & remonstrance etc, par six Païsans, 1615, pag. 19. *Nous sommes de pauvres rusti-*

> *ques qui n'entendons ny A ny Boy.* Les Payisans Poitevins parlent encore de la sorte. *Enluminé comme le* Boy *de Beati quorum* a passé en Proverbe, parce que le *Boy,* c'est-à-dire le B initial du Pseaume *Beati quorum* étoit fort enluminé dans ces grands livres d'Église qui servoient pour chanter au Lutrin. Quoique les lettres initiales des autres Pseaumes y fussent de même enluminées, je ne sai quoi de burlesque qu'on a cru trouver dans les mots de *Beati quorum* a fait tomber la plaisanterie sur le Pseaume qui commence par là, plutôt que sur les autres. Du reste, ce n'a pas été seulement avec *boy* (bibe) que le nom ancien du B a fait équivoque. On y en a trouvé une autre avec *bois,* dans la signification de *Forêt*; et celle-ci se trouve emploiiée dans les vers suivans, qui sont d'une Ballade du Verger d'Honneur etc par un Poëte dont il paroit que la Maistresse se nommoit *Du Bois*:
>
> *Quant voys au* b *et du* b *me souvient,*
> *Le* b *me fait trop begninement vivre :*
> B *verdoyant, de vert vestu, dont vient*
> *Toute beauté et bonté à délivre.*

Ainsi, le B, qu'on le prononce [bé] ou [bwé], est mis en rapport avec l'impératif *bois* et le nom *bois*, ce qui nous permet de mieux éclairer les intentions de l'auteur de *Pathelin*

IV

Compte tenu de tout ce que nous venons de dire, le *bée*, qu'on trouve aussi dans les *Menus Propos,* est un bon exemple de la polyvalence sémantique du texte carnavalesque et de la pluralité de ses plans de signification.

I. C'est bien entendu le bêlement, en rapport avec le berger, « ung berger des champs, ung mouton vestu,/ung villain paillart» (vers 1579-1580), presque une bête (BEste), comme le font entendre le juge (vers 1302) et Pathelin (vers 1387).

2. Mais, dès Huon le Roi, l'onomatopée est en rapport avec le verbe *beer* (vers 28[1], 30), avec toutes les significations de ce verbe qui signifie «ouvrir la bouche», «avoir la bouche ouverte», «regarder la bouche ouverte», «désirer ardemment», «attendre vainement la bouche ouverte».

Bée, c'est «ouvre la bouche», avec toutes sortes de possibilités sémantiques, en rapport avec l'oralité (la boisson) et l'analité (le souffle).

Bée, c'est aussi le désir avide, la vaine attente, le faux espoir. *Payer la bée*, ne signifie-t-il pas «attendre vainement?» Et *regarder la bée,* «être déçu dans son attente»? De là, l'expression *faire à quelqu'un la bée*, «le tromper, le duper». Autrement dit, «tu peux toujours attendre».

3. *Bée*, introduit par le passage en normand, connote la normandité, avec toute ce que cela comporte d'ambiguïté volontaire, si l'on en juge par quelques proverbes, comme celui-ci :

> «Roux François, noir Anglois et Normands de toute taille, ne t'y fie si tu es sage».

4. *Bé(e)* est aussi l'impératif de *boire* en normand, une invitation pressante à l'enivrement, déjà présente dans le délire feint de Pathelin, quand il dit : *Bee! par saint Miquiel, je beré* (898), en rapport avec un aspect de la ruse de Pathelin (vers 292-293, 314, 323, 331).

---

1. Voir l'*ABC* d'Huon le Roi, vers 27-30 et 36 : «*A* veult tos tans c'on la bouce oevre./Tout prelat beent a ceste oevre ;/De chou ne sont mie a aprendre,/Car tout adés beent a prendre./... Quant jou di bien, mout petit bé.»

Autrement dit, « bois un bon coup pour oublier tes déboires ».

5. *Bé* est une forme du mot Dieu (*Bieu, bleu, beu, bé...*). Joyeuse irrévérence : c'est Dieu qui l'a voulu, adresse-toi à Dieu, à ses saints ou au diable ! Irrévérence qui se manifeste aussi dans la scène de la fausse mort.

6. Enfin, *bée* peut être compris, vu le contexte — les champs et les moutons — comme une allusion au bois d'où sortirait cet homme sauvage, ce décepteur. Le Berger vit avec ses bêtes, comme une bête, à l'orée des bois, mais il lui arrive de venir à la ville dont il méconnaît les usages.

V

I. Cette polyvalence du mot donne à la pièce une ambiance carnavalesque par l'animalisation : Thibaud l'Agnelet bêle tout logiquement. La présence du haut et du bas, des divers souffles, de la boisson, de l'homme sauvage, le raccourcissement linguistique du nom de Dieu sont les marques d'un joyeux rabaissement libérateur et d'une exaltation du corps dans un retour à la nature où Dieu et le diable se rencontrent dans l'expression *Bée dea,* qui se lit à plusieurs reprises, et deux fois dans le passage en normand (vers 887, 894).

2. Le langage devient naturellement ambigu. *Bée* est l'emblème de la pièce dont il résume les ambiguïtés.

Ambiguïtés phoniques : pour *despeche* qui rime avec *piece* dans l'Imprimé de Le Roy, faut-il lire *despechier* « expédier, débrouiller », ou *despecier,* « mettre en pièces » ? *Potatif* est-il à lire *putatif* « supposé » ou *portatif* « raté » ?

Ambiguïtés syntaxiques, dès le vers 6-7 (*Par Nostre Dame j'y pensoye/dont on chante en advocassaire...*), qu'on peut lire de différentes manières, par exemple : « Par Notre-Dame qu'on invoque parmi les avocats, j'y pensais (i.e. au temps où vous plaidiez)... », ou bien : « Par Notre-Dame, j'y pensais — par celle qu'on chante, je pensais à votre charge d'avocat... »

Ambiguïtés sémantiques : la *gentille marchande* du vers 65, qu'il faut peut-être lire *gentil marchant* d'après le manuscrit La Vallière, peut désigner une fille peu farouche qui, sous le couvert d'un commerce honnête, monnaie ses faveurs comme les protégées de la Belle Heaumière dans le *Testament* de Villon.

Ambiguïté des personnages : Pathelin est-il un véritable avocat ? Thibaud l'Agnelet est-il un berger ordinaire, un berger des champs (vers 1592) ou un berger du Pré-aux-Clercs ? N'est-il pas « un faux niais, un badin astucieux qui, dans le monde des filous, s'il n'est un jour pendu, fera une belle carrière » (Raymond Lebègue)[1] ?

Ce *bée* n'apparaît-il pas comme l'emblème de la génération de Louis XI qui feignait la bêtise, la surdité ou la crainte pour mieux tromper ses adversaires, et dont tout l'art, que nous révèle son mémorialiste Philippe de Commynes, a été de paraître autre qu'il n'était ?

3. Cette interjection, qui est une forme tronquée du langage, indique que, si le langage devenu arbitraire n'est pas l'objet d'un contrat entre les hommes

1. *Le Théâtre comique en France de Pathelin à Mélite*, Paris, Hatier, 1972, p. 44.

et si ceux-ci, respectueux de l'accord, ne l'empêchent pas de tomber dans l'équivoque, il se retournera contre les fraudeurs, au profit de celui qui refuse la communication en se bornant à répéter *bée* qui triomphe de tous les discours, de toutes les objurgations : si l'on n'y prend garde, le langage échappera aux hommes qui ne pourront plus communiquer. Comme l'a montré Michel Erre[1], Guillaume, le juge et Pathelin se heurtent successivement à un mur de langage infranchissable, à une sorte de non-langage, marécage où s'enlise l'interlocuteur et outil de la ruse pour échapper à l'accusation du drapier et à la rétribution de Pathelin. Il est dangereux de manipuler le langage.

Il faut donc ne pas transformer le langage arbitraire en équivoque, en sorte que la morale de la pièce pourrait être : « Qui a fauté par le langage sera puni par le langage ou par son absence ».

Si, dans le *Veterator* qui est l'adaptation en latin de notre farce, le *bee* ferme la bouche au juge, à l'avocat et aux humanistes distingués, Rabelais s'est, de son côté, souvenu de la scène du *bée* qu'il a en partie récrite dans les chapitres VI-VIII du *Quart Livre* où il met face à face Panurge et le marchand de moutons Dindenault et où il signale discrètement, *in fine,* la présence de *la Farce de Pathelin* :

> « Reste il icy, dist Panurge, ulle ame moutonniere ? Où sont ceux de Thibault l'Aignelet ? Et ceux de Regnauld Belin qui dorment quand les autres paissent ? » (éd. P. Jourda, Classiques Garnier, T. II, p. 58).

1. *Langage(s) et pourvoir(s) dans la Farce de Maître Pathelin,* dans *Dissonances,* t. I, 1977, *Le Corps farcesque.*

— après avoir chemin faisant mentionné les *fins draps de Rouen* (*éd. cit.*, p. 52, *Pathelin*, vers 192) et repris une formule de la farce *couste et vaille* (*éd. cit.*, p. 53 ; *Pathelin*, vers 215).

Rabelais a d'ailleurs habilement utilisé deux scènes de la farce qu'il a combinées et renouvelées : le marchand, qui traite Panurge de *gentil chalant* (lequel rappelle le *gentil marchant* du vers 65, ms. La Vallière), de *couppeur de bourses*, de *joyeux du roi* (cf. *becjaune*, vers 349 de *Pathelin*), ne vend pas du drap, mais des moutons — on se rappelle que Guillaume dans *Pathelin* est à la fois marchand d'étoffes et propriétaire d'un troupeau de moutons —, et, de ces moutons, il vante la toison (*éd. cit.*, pp. 50 et 52), la peau, les boyaux, la chair... et fait monter le prix, malgré les protestations de Panurge (p. 55).

Panurge, quand il répond à son interlocuteur, répète « Voire » comme Thibaud *Bée*, et Dindenault de souligner la ressemblance :

> « ... vous estes le joyeulx du Roy, vous avez nom Robin mouton. Voyez ce mouton là, il a nom Robin, comme vous, Robin, Robin, Robin — Bês, bês, bês, bês — O la belle voix ! » (éd. cit., p. 51).

Mais avec Rabelais il ne s'agit que d'un jeu, alors que la farce exprime à sa manière une réflexion sur la dialectique du pouvoir et de la parole, chacune des trois grandes masses de la pièce (vol du drap — délire — jugement) s'éclairant si l'on songe que, tour à tour, elles représentent une phase particulière de la relation du pouvoir et de la parole et que la farce entière se pose comme une somme où sont successivement examinées la naissance, la vie et la mort du langage. Le premier volet présente la parole comme la conséquence d'un manque de pouvoir, le second la caractérise comme étant l'invention du pouvoir, la troisième, enfin, la démasque en démontrant qu'elle n'est que l'illusion du pouvoir. Ainsi l'intrigue — et ce jeu sur le *bée* — sont-ils placés au service d'une résolution pessimiste de la dialectique du pouvoir et de la parole. Et c'est peut-être le génie de l'auteur de *Pathelin* que d'avoir amené à réfléchir sur le langage à partir d'un jeu comique.

Jean Dufournet

LE RYTHME D'UN SPECTACLE MÉDIÉVAL : MAÎTRE PIERRE PATHELIN ET LA FARCE

Le commentaire de *Maître Pathelin* a subi d'étranges vissicitudes. Une part énorme de la littérature critique qui lui est consacrée s'est en effet donné pour tâche de trouver l'auteur et de connaître la date de l'œuvre. On peut dire que ces problèmes mal posés au départ ont entraîné un retard considérable dans l'étude de cette farce. Il y eut dans la critique une illusion de réalité qui fit rechercher dans la pièce tout ce qui pouvait être mis en relation avec un phénomène extérieur. On s'ingénia à lier le nom même de Pathelin à telle lettre de rémission signée en 1470, à retrouver l'original de Jean de Noyon, à tracer la limite d'utilisation du parisis et du tournois, ou même pris au piège grossier du drapier l'on rechercha le fameux hiver de « la grant froidure » qui fit périr le bétail et enchérir le drap.

Nous ne voulons pas tomber, fût-ce pour les dénoncer, dans ces chausses-trapes. Il importe davantage par exemple de situer *Pathelin* dans une tradition théâtrale, et, dans les lignes qui suivent, notre propos sera de retrouver à travers les liens qui unissent *Pathelin* au genre de la farce, les éléments qui donnent un rythme à la pièce.

1. — Composition en trois temps fondée sur la farce.

Les dernières lignes de *L'Art et science de réthoricque mettrifiée*[1] publiée par Gratien du Pont en 1539, donnent un aperçu de la longueur que pouvaient atteindre les différentes compositions dramatiques : « Qui aura envye de scavoir le nombre des lignes appartientz en monologues, dyalogues, farces, sottises et moralitez, scaichent que quant monologue passe deux cens lignes, c'est trop, farces et sottises, cinq cens, moralitez mille ou douze cens au plus ». Où situer la farce de *Maître Pierre Pathelin* avec ses 1 600 vers ? C'est bien en effet le seul exemple qui nous ait été transmis d'une farce aussi longue. Même la *Pipée* reste avec ses 935 vers dans les limites raisonnables, proche cependant par ses dimensions de la moralité. Car les textes transmis confirment l'observation de Gratien du Pont : la plupart des farces ne dépassent pas cinq cents vers.

Cinq à six cents vers, c'était aussi la longueur que fixaient aux pièces qui leur seraient présentées les promoteurs d'un concours dramatique, à Mons en 1469[2]. Que le sujet en dût être religieux, n'a pas d'importance pour nous ; nous retenons seulement cette limite

---

1. Tholoze, 1539, (Bibliothèque nationale : Rés. Ye 201). Les lignes citées se trouvent au f° 77.
2. Faber (Frédéric), *Histoire du théâtre français en Belgique depuis son origine jusqu'à nos jours,* Bruxelles-Paris, 1878-1881, 5 vol. ; voir t. I, p. 7.

des 500 vers communément admise pour une farce ou une représentation dramatique ordinaire.

A examiner de près *Maître Pierre Pathelin,* une constatation s'impose : l'auteur a construit sa pièce en sorte que des points de rupture apparaissent tous les 500 vers. Les vers 498-506 sont un monologue du drapier, de même que les vers 1007-1016. Voilà dessinée une structure ternaire d'une rigueur remarquable qui équilibre la pièce en trois éléments d'environ cinq cents vers chacun.

Il faut ici reprendre l'analyse traditionnelle de *Maître Pierre Pathelin* qui distingue deux actions différentes, l'une du drap, l'autre du berger. En vérité c'est raisonner selon la logique narrative, mais non selon la réalité dramatique. Tout se passe en effet comme si *Maître Pierre Pathelin* adoptait la farce pour module, à la fois dans sa longueur et dans son action.

Première action : Pathelin et Guillemette ont besoin de drap, Pathelin s'en procure auprès du drapier Guillaume, et vient s'en réjouir avec Guillemette.

Deuxième action : Le marchand vient chercher son argent chez Pathelin, et y manger l'oie que celui-ci lui avait promise. Pathelin feint la maladie et le délire, et le marchand doit s'en retourner tout penaud.

Troisième action : Le marchand assigne son berger devant le juge, il l'accuse d'avoir volé un bon nombre de ses moutons. Le berger s'assure les services de Pathelin, et devant le juge, il est acquitté, cependant que le drapier mêle « bergerie » et « draperie ». Le berger réussit à ne rien payer à Pathelin.

Chacune de ces actions répond à une farce complète, dans la forme et dans la matière. Il est évident que d'une séquence[1] à l'autre des liens étroits existent, mais la relative autonomie de chaque séquence est suffisamment affirmée par la construction même pour que le doute ne soit pas permis. Nous avons souligné le rôle de ponctuation qui revient au drapier dans le déroulement dramatique. Examinons plus attentivement chacune des séquences ainsi délimitées.

Première séquence : son début coïncide avec le début de la pièce. Dans les possibilités d'engager l'action, l'auteur a choisi le dialogue. Ce dialogue pose rapidement le problème après avoir tracé le portrait du personnage principal : un état de fait, les vêtements élimés ; un désir, se procurer de l'étoffe. Lorsqu'intervient le monologue du drapier, cette action est close : Pathelin est en possession de l'étoffe convoitée. Formellement cette clôture se marque par le monologue du drapier : « Je croy qu'il est temps que je boive Pour m'en aler » (v. 498-499). Ainsi se terminent beaucoup de farces : lorsque l'acteur déclare qu'il est temps qu'il s'en aille boire, le spectateur sait que la pièce est terminée, surtout lorsque, comme c'est le cas ici, la durée de jeu a correspondu à son attente.

Mais c'est alors que se produit un rebondissement : le monologue destiné à clore la séance relance l'action :

> Je croy qu'il est temps que je boive
> Pour m'en aler. Hé, non feray,
> Je doy boire et si mengeray
> De l'oe, par Saint Mathelin,

---

1. Nous appelons séquence un élément dramatique lié à une action complète. La séquence serait l'équivalent de la phrase au niveau linguistique. Nous en distinguons les segments qui sont des unités dramatiques plus petites dont l'équivalent linguistique serait le mot.

Chiés maistre Pierre Pathelin,
Et là recevray je pécune.
Je happeray là une prune
A tout le moins, sans rien despendre.
Je y vois ; je ne puis plus rien vendre.
(v. 498-506)

C'est à une des autres possibilités de début de farce qu'il fait ici appel : un monologue explique la situation et lance l'action. Le même segment sert donc à la feinte clôture de l'action et à l'ouverture d'une nouvelle séquence. Car tout se passe comme si une nouvelle farce s'ouvrait. Une nouvelle action est énoncée qui renvoie à un type de farces très répandu : le développement littéral d'un proverbe ou d'une expression imagée. Rappelons par exemple, dans le *Recueil Cohen,* la farce des *Amoureux qui ont les bottines Gautier* (nº IX), la farce des *Femmes qui font accroire à leurs maris de vessies que ce sont lanternes* (nº XV), la farce de *Celui qui garde les patins* (nº XXI) etc. Mario Roques dans un article intitulé « Manger de l'oie[1] » a mis en relief le caractère métaphorique de l'expression qui signifie « se faire tromper ». La seconde séquence pourrait s'intituler la farce de *Celui qui va manger de l'oie.* Le jeu repose sur l'interprétation littérale de cette locution courante. Le caractère ambigu des propos du drapier est souligné à plaisir par l'auteur. Guillaume énonce une chose et le spectateur doit en comprendre une autre, il annonce qu'il s'en va manger de l'oie et le spectateur comprend qu'il va se faire duper, la malice de l'auteur ajoutant par le biais du langage un semblant d'acceptation de la part de la victime. N'est-ce pas encore ce qui se passe au v. 505 ou le mot *prune*

1. *Romania,* 67 (1931), p. 548-560.

est dit avec son sens de « bonne occasion, bonne aventure » et est entendu au sens de « mauvais coup, déconvenue » qui est aussi le sien. Pour rendre encore la connivence avec le public plus évidente, l'invocation à saint Mathelin est chargée de sous-entendus sur la niaiserie du drapier, puisque le mal saint Mathelin désigne la folie et l'adjectif *matelineux*, formé sur Mathelin, signifie « sot ».

La troisième séquence s'ouvre elle aussi, comme une farce, par un monologue qui fait immédiatement connaître aux spectateurs, ainsi qu'il est coutume, le problème posé :

> Quoy, dea, chascun me paist de lobes !
> Chascun m'en porte mon avoir
> Et prent ce qu'il en peust avoir.
> Or suis-je le roy des meschans !
> Mesmement les bergiers des champs
> Me cabusent. Ores le mien... etc.
>
> (v. 1007-1012)

Un nouveau thème est lancé qui vient se marier à l'ancien. La dernière séquence qui a mêlé à plaisir les fils de ses thèmes, se comporte dramatiquement comme une farce autonome, même si un rigoureux système d'échos lie étroitement entre elles chacune des séquences de l'œuvre. L'auteur de *Maître Pierre Pathelin* adopte donc comme unité de base la forme de la farce, il l'utilise pour une construction plus vaste, mais il ne se dérobe pas aux contraintes qu'elle lui impose. C'est probablement que les 500 vers de la farce correspondent au temps d'attention maximal du public de l'époque. Le manuscrit La Vallière au cours de la dernière séquence, indique plusieurs fois en marge *pausa*, ce qui signifie intervention de musiciens ou de chanteurs. Il est vraisemblable qu'entre les séquences que nous avons déterminées un élément de distraction encore plus fort devrait prendre place, peut-être même un véritable entr'acte ; le public en avait sûrement besoin, mais les acteurs aussi, si l'on en croit Pierre de Laudun d'Aigaliers : il notait que dans la farce, à laquelle il donnait trois ou quatre cents vers, « on peut faire une ou deux pauses pour soulager les joueurs[1] ».

De la sorte, *Maître Pierre Pathelin* se rattache étroitement à la farce puisqu'il en fait la marque de son rythme. Cette répartition ternaire, qui divise de façon égale la représentation lui donne son schéma fondamental. Il reste que sur ce schéma l'auteur a su faire intervenir d'autres éléments propres à varier le rythme et à donner au spectacle un dynamisme que la simple répétition juxtaposée de trois éléments identiques ne saurait lui conférer.

2. — Le crescendo dramatique : l'occupation de la scène.

D'une séquence à l'autre un mouvement est créé. L'action croît en intensité et en complexité et sur le plan dramatique un élément visuel vient mettre en évidence le crescendo qui anime la représentation : à mesure que la pièce se déroule un nombre de plus en plus grand de personnages occupe l'espace scénique. Le tableau ci-joint analysant segment par segment la présence des personnages sur le plateau, permet de mettre en évidence l'originalité de chaque séquence.

Avant de commenter ce tableau, indiquons très

---

1. Pierre de Laudun d'Aigaliers, *L'Art poétique français,* Paris, 1598 (Bibliothèque nationale : Rés. Ye 4283).

rapidement les obligations d'une mise en scène de *Pathelin,* afin de justifier certains de nos groupements. Sans nous étendre, sur les raisons qui nous font penser que l'appel au dispositif scénique des grands mystères n'est pas d'usage pour les farces, nous nous refusons à envisager ici un plateau immense avec trois « mansions » : la maison de Pathelin, la boutique du drapier, le tribunal. Un étal avec quelques rouleaux d'étoffe, un ou deux tabourets, (« séez vous, beau sire », v. 136), suffisent à délimiter et à symboliser la boutique du drapier. Un lit et quelques tabourets peut-être désignent assez clairement la maison de Pathelin. Le lieu de juge n'existe que dans la troisième séquence ; un siège pour le juge, apporté lors de la transition de la deuxième à la troisième séquence, créera le tribunal.

Nous considérons donc qu'au début de la deuxième séquence, lorsque le drapier se présente chez Pathelin, ce dernier est déjà sur scène dans son lit. Il serait puéril et anachronique d'imaginer l'intérieur d'une maison avec un salon et une chambre ! un simple déplacement de quelques pas rapproche Guillemette, puis le drapier (v. 628), du lit de Pathelin.

La lecture de notre tableau souligne la répartition en trois séquences que nous indiquions, et montre comment d'une séquence à l'autre s'établit une progression frappante. Dans la première séquence le dialogue met en jeu deux personnages, dans la deuxième trois, et enfin dans la troisième où la répartition est beaucoup plus modulée, on atteint à quatre personnages. L'accroissement du nombre de personnages en jeu instaure un rythme spatial dont l'effet sur le spec-

Séquence	Segment	Personnages en jeu
I v. 1-497	1 2 3	Pathelin = Guillemette Pathelin = le drapier Pathelin = Guillemette
Transition		Monologue du drapier
II v. 507-1006	1 2 3 4 5	Pathelin/Guillemette = le drapier Pathelin = Guillemette = le drapier Pathelin = Guillemette/le drapier Pathelin = Guillemette = le drapier Pathelin = Guillemette/le drapier
Transition		Monologue du drapier
III v. 1017- 1599	1 2 3 4 5 6 7 8	Le berger = le drapier Le berger/Pathelin = Guillemette Le berger = Pathelin Le berger = Pathelin = le drapier = le juge Le berger = Pathelin = le drapier Le berger= Pathelin Le berger scène vide (fuite du berger)

Légende des signes utilisés

Le signe = indique que les personnages sont impliqués dans le même dialogue. Ils sont sur la même aire de jeu.

Le signe / indique que les personnages séparés par cette barre bien que présents sur scène, ne sont pas censés s'entendre ou se voir. Ils ne communiquent pas ensemble. Ils ne sont pas sur la même aire de jeu.

tateur est certain, même s'il n'est pas consciemment perçu. Car les personnages sont les porteurs à la fois de l'architecture spatiale de la scène et de la tension dramatique. Passant de deux à trois, puis à quatre personnages, l'espace, linéaire au départ, prend une dimension supplémentaire, s'approfondit et se diversifie. Le sommet atteint par le quatrième segment de la troisième séquence, où quatre personnages sont en scène, rend encore plus sensible le mouvement qui ensuite fait décroître progressivement le nombre des acteurs jusqu'à laisser la scène vide. La fuite du berger est sans doute une variante du « allons boire » qui est une des formes traditionnelles du final de la farce, mais elle lui donne une signification toute différente : l'action continuera d'occuper la scène après la disparition du dernier acteur. Nous avons là un exceptionnel exemple de fin « ouverte ».

Le mouvement reconnu dans la présence des personnages en scène, est marqué aussi dans les diverses tensions qui régissent la progression dramatique. Au départ la tension ne va que d'un personnage à l'autre, de Pathelin à Guillemette, ou de Pathelin au drapier. Dans la deuxième séquence, elle est bipolaire allant du drapier à Pathelin et du drapier à Guillemette. Mais dans la troisième séquence, elle devient tripolaire mettant aux prises le berger et le drapier, le drapier et Pathelin, Pathelin et le berger. Le personnage du juge pourrait bien avoir pour fonction dramatique de matérialiser un point de référence stable dans ce jeu de tensions qui passe sans désemparer d'un personnage à l'autre.

Reste enfin que notre tableau souligne un dernier fait : une modification dans le statut dramatique des personnages ; dans les deux premières séquences

Pathelin est le personnage que ne régit aucune contrainte d'association, il peut être associé scéniquement au drapier et à Guillemette alors que ceux-ci ne peuvent pas se rencontrer en dehors de sa présence. De plus il est constamment en scène. Dans la dernière séquence le personnage Pathelin perd ces privilèges qui deviennent les attributs du personnage Thibaut l'Agnelet. Ce changement de perspective en cours d'action est rare, et tout à fait surprenant à nos yeux : la pièce change de héros, cela vaut d'être signalé. Ainsi se révèlent liés par leur fonction dramatique deux personnages qui ont beaucoup de points communs. Nous entrons ici dans les problèmes que pose le sens de cette farce. Ce n'est point le lieu de les résoudre, et nous sortirions de notre propos. Relevons seulement comment la lecture « dramaturgique » d'un texte peut révéler des éléments signifiants qui ne tiennent pas aux mots du dialogue, mais qui jaillissent à la jonction d'un genre et d'une œuvre, et qui s'affirment dans la relation de cette œuvre à la mise en scène.

Michel Rousse.

LES GRANDES DATES DE LA FORTUNE DE PATHELIN (de 1706 à 1970[1])

1706, vendredi 4 juin.

L'Avocat Pathelin de BRUEYS entre au répertoire de la Comédie française qui le jouera jusqu'en 1859. La pièce avait été écrite en 1700 pour être jouée devant Louis XIV dans l'appartement de Madame de Maintenon, mais « la guerre qui survint à l'occasion de la mort du roi d'Espagne en empêcha l'exécution » (Préface). Brueys n'était d'ailleurs pas un inconnu, puisque beaucoup de ses pièces avaient été créées par la Comédie française : *Le Concert ridicule* (14 novembre 1689), *Le Secret révélé* (13 novembre 1690), *Le Grondeur* (3 février 1691), *Le Muet* (22 juin 1691), *Le Sot, ou le Marquis paysan* (3 juillet 1963), *L'Important de cour* (16 décembre 1693), *Les Empiriques* (11 juin 1967), *Calbinie* (14 mars 1699), *L'Opiniâtre* (19 mai 1722).

---

1. Ce chapitre doit beaucoup au travail substantiel de Jean-Claude Marcus que nous citons dans la bibliographie.

L'auteur a imaginé de nouveaux personnages : Valère, fils de Guillaume, Henriette, fille de Patelin, et Colette, servante de Patelin, afin de faire de la farce médiévale une comédie (en trois actes et en prose) sur le modèle de la fin du XVIIe siècle, en inventant deux intrigues amoureuses qui se terminent par un mariage entre Valère et Henriette, entre Agnelet et Colette, en introduisant une soubrette comparable par sa bonne humeur et son adresse à la Toinon de Molière, en supprimant les divers jargons et les jurons, en agençant très habilement des intrigues différentes. Le succès de la pièce fut immense, puisque, de 1706 à 1859, elle fut jouée 888 fois par la Comédie française, qu'en 1733 elle arriva en quatrième position avec 13 représentations (derrière *Gustave Wasa* de Piron, joué 24 fois, *Pélopée* de Pellegrin, 16 fois, et *le Tuteur* de Dancourt, 14 fois) et qu'elle fut en tête en 1742 avec 22 représentations. Voltaire en fait l'éloge dans *le Siècle de Louis XIV* :

> « La petite comédie du *Grondeur*, supérieure à toutes les farces de Molière, et celle de *l'Avocat Patelin*, ancien monument de la naïveté gauloise, le (*Brueys*) feront connaître, tant qu'il y aura en France un théâtre ».

La pièce de Brueys fut traduite en allemand par deux fois en 1762 et 1880, en anglais sous le titre *The Village Lawyer* en 1787 ; elle fut réécrite en 1792 par André-Charles Cailleau, *A trompeur trompeur et demi ou Guillaume et Pathelin*, comédie en trois actes, « remise en vers » d'après l'*Avocat Patelin* de Brueys et l'ancienne *Farce de Pathelin* ; elle devint, pour finir, un opéra-comique en 1856 dans un livret de Langlé et Leuven.

1723. Édition de COUSTELLIER.

1760. Édition de DURAND, suivie du *Testament de Pathelin.*

1852, 18 décembre. Traduction en prose de GÉNIN dans *l'Illustration*, avec des vignettes des éditions Le Caron et Trepperel.

1853. Édition de GEOFFROY-CHÂTEAU.

1854. Édition de F. GÉNIN.
Fr. Génin (1803-1856) fut un philologue et un éditeur de textes, à qui l'on doit en particulier un *Lexique comparé de la langue de Molière et des écrivains du XVIIe siècle* (1846), les *Lettres de Marguerite d'Angoulême, reine de Navarre* (1841), *la Chanson de Roland, poème de Théroulde* (1850), *De la prononciation du vieux français, lettre à Littré de l'Institut* (1856).

1855. *Pathelin, comédie du XVe siècle, ramenée à la langue du XIXe siècle*, par CHARLES DES GUERROIS, Paris, 7, Quai des Augustins.
Cette pièce, plus fidèle à l'original, en octosyllabes, n'a pas été représentée, bien qu'écrite pour la Comédie française.

1859. Édition de PAUL LACROIX (le bibliophile Jacob) dans son *Recueil de Farces, Soties et Moralités du Quinzième siècle, réunies pour la première fois...*, qui comporte *Maistre Pierre Pathelin, le Nouveau Pathelin, le Testament de Pathelin, la Moralité de l'Aveugle et du Boiteux, la Farce du Munyer, la Condamnation de Banquet.*
Paul Lacroix (1806-1884) fut un polygraphe infatigable qui a beaucoup fait pour la connaissance du Moyen Age et du XVIe siècle par ses romans histori-

ques comme *le Roi des ribauds* (1831) ou la *Danse macabre* (1832), par des éditions de textes (Villon, Rabelais, Ronsard, B. des Périers), par des ouvrages plus ambitieux comme *l'Histoire de la prostitution chez tous les peuples* (1851-1852), *Mœurs, usages et coutumes au Moyen et à la Renaissance* (1871), *Vie militaire et vie religieuse au Moyen Age* (1872).

1872. De l'édition de Paul Lacroix, qu'il reproduit telle quelle dans son *Théâtre français d'avant la Renaissance* (1873), ÉDOUARD FOURNIER (1819-1880), connu surtout pour ses livres d'érudition anecdotique (*Histoire des hôtelleries et des cabarets*, 1850, *Énigmes des rues de Paris*, 1859, *Histoire du Pont-Neuf*, 1861, *Histoire des enseignes de Paris*, 1884) tira *la Vraie Farce de Maître Pierre Pathelin*, en trois actes et en vers modernes (Paris, A. Fayard), qui fut représentée pour la première fois le 26 novembre 1872. Simple succès d'estime : la pièce ne fut jouée que 85 fois de 1872 à 1915. Plutôt lourde, remplie d'archaïsmes, montée dans une mise en scène qui visait à une minutieuse reconstitution archéologique, elle fut sauvée par le jeu éblouissant de l'acteur Got dont Vert-Vert écrivit dans le *Télégraphe* : « Sans Got, sans sa gaieté à la fois étourdie et fantasque, cette résurrection de l'ancienne pièce eût été impossible ».

1882. Sous le pseudonyme de MICROMÉGAS, un auteur, contaminant la farce originale et la pièce de Brueys, donna *l'Avocat Pathelin, farce en un acte arrangée pour l'usage des pensionnats* (Paris, Berger), en se recommandant dans son avant-propos de Mgr Dupanloup : « C'est sans conteste la plus jolie comédie qui puisse égayer un public le jour d'une distribution des prix. Mgr Dupanloup, dont le goût est si délicat et la morale si sévère, voulant faire jouer une pièce par les élèves de son séminaire, a choisi l'*Avocat Patelin*».

1884. De GASSIES DES BRULIES, *la Farce de Maître Pathelin très bonne et fort joyeuse à cinq personnages, arrangée et mise en nouveau langage* (Paris, Delagrave).

Ce bon connaisseur du théâtre, qui donnera plus tard une *Anthologie du Théâtre français du Moyen Age : théâtre comique,* 1925, *théâtre sérieux,* 1927, et qui traduira d'autres textes (*La Farce du Pâté et de la Tarte, La Farce du Cuvier, La Farce du Savetier et du Financier, La Farce d'Esopet et du Couturier, La Farce de Calbain, La Farce de la Femme muette,* toutes publiées par la librairie Delagrave), s'il est revenu à l'original et a conservé l'octosyllabe, a tenu à faire connaître, en toute liberté, la farce médiévale, comme il l'écrit dans la notice préliminaire : « Nous avons voulu, en 1884, composer une adaptation facile à jouer partout. Le succès nous a récompensé. Notre farce a été jouée au théâtre, dans les salons et dans une multitude de collèges et de pensions. Elle a eu l'honneur de précéder *les Erinnyes,* de Leconte de Lisle, aux matinées classiques organisées dans la grande salle du Trocadéro par Madame Marie Laurent en 1896 ».

La première édition était illustrée de seize dessins de Boutet de Monvel. Cette pièce, en 3 actes[1] et

1. Voici quelques indications pour le décor de chaque acte.
Acte I. « Dans la rue. A gauche du théâtre, la boutique du drapier Guillaume. C'est une maison à devanture peinte, à charpente extérieure, à étages en surplomb. Les pièces de drap sont rangées sous l'auvent, sur une tablette devant la fenêtre ».
Acte II. « La scène se passe chez maître Pathelin. — C'est un modeste intérieur du XIVe siècle. Lit carré entouré de rideaux, à gauche. — Porte à droite.

13 scènes, a considérablement réduit le texte original. En voici un exemple. Aux 33 premiers vers de la farce médiévale correspondent 17 vers dans l'adaptation de Gassies des Brulies :

Pathelin

Guillemette, ma pauvre femme,
J'ai beau chercher, par Notre Dame,
Quelque ruse de fin matois !
On ne vient plus comme autrefois
Me confier la moindre affaire !
Et cependant, à part le maire,
Il n'est pas d'homme plus savant
Que moi !...

Guillemette

Toujours auparavant
Les clients frappaient à la porte !
Dehors ils vous formaient escorte.
Sous l'orme vous les attendez
A présent ! Hélas ! vous plaidez
Si peu que nous avons la mine
De mourir bientôt de famine.
A quoi nous sert votre savoir,
Puisque nous n'en pouvons avoir,
Pour nous vêtir, ni sou ni maille ?...

1922. Le critique d'art et poète ROGER ALLARD, qui collaborait à la NRF et aux *Nouvelles littéraires* et dirigeait la *Collection des peintres français nouveaux*, écrit pour JACQUES COPEAU et son Vieux Colombier, donc pour la représentation, un *Maître Pierre Pathelin* (Paris, Gallimard — *Répertoire du Vieux Colombier*), afin de rendre le texte d'accès plus facile, comme il l'indique dans ses *Notes* : « Cette adaptation d'une farce célèbre a été faite en vue de la représentation. C'est bien à regret qu'on a dû raccourcir certains

Acte III. « Le décor est celui du premier acte. — Seulement, la boutique du Drapier est fermée, et au milieu de la scène on a placé la chaise ou fauteuil à estrade où le Juge vient rendre la justice en plein air ».

développements et modifier en plusieurs endroits les proportions du dialogue. Sans se flatter d'avoir retenu dans cette version la verve dramatique et poétique de l'original, on espère qu'elle facilitera au spectateur d'aujourd'hui l'intelligence d'un chef-d'œuvre de notre ancien théâtre ».

Dans cette pièce de 1286 octosyllabes, en 23 scènes R. Allard a pratiqué des coupures ; ainsi des vers 20-27, il ne reste que :

> Je lui ferai baisser le ton
> Le jour que je voudrai m'y mettre.
> Je chante au lutrin comme un prêtre.

Les plaisanteries cocasses, mais d'accès difficile, disparaissent, comme aux vers 216-17 :

> Aussi bien j'ai denier et maille
> Déposés en lieu sûr...

ou aux vers 368-369 :

> Le marchand de vieilles emplâtres
> A du plomb dans la fesse...

Il a transféré des répliques de Pathelin au juge, celle des vers 1395-1396 par exemple :

> Et quel est ce sot qui plaide
> Ici contre un sot de nature ?

S'il a conservé des tours archaïques (au vers 371, *Il est payé, ne vous en chaille*), il a recherché des équivalences dont beaucoup sont heureuses, comme dans le passage sur les avocats (vers 58-63) :

> Or quoi qu'on pense et quoi qu'on dise,
> Sachez, Guillemette, ma mie,

Qu'avocat de moire drapé
N'a souvent qu'un titre usurpé.
Sur ce, je m'en vais à la foire.

ou au vers 185, où il délaisse le jeu de mots sur *orine* :

Bon chien chasse de bonne race.

Au total, un dialogue animé et vif, qu'a apprécié Pierre Scize dans son compte rendu du 24 novembre 1922 : « *Maître Pierre Pathelin* a été mis en français moderne de bien savoureuse façon par M. Roger Allard. L'adaptateur, gardant le mètre alerte du vieux vers français, nous a restitué le ton cru, enluminé, gaillard, voire un tantinet stercoraire, de nos vieux fabliaux. Tout cela rajeuni par un miracle de verdeur où l'anachronisme, l'argot, les façons basses du langage se mêlent, se heurtent, se répondent ».

La première représentation eut lieu au théâtre du Vieux Colombier, en deuxième partie du spectacle, après le *Menteur* de Corneille. Au total, vingt-cinq représentations dans la distribution suivante :

Pathelin .... Lucien Duboscq
Guillemette .... Berthe Fuzier
Le drapier......................... Auguste Boverio
Thibault l'Agnelet .... Jean Galland
Le juge .... Léonce Corne.

Décor unique, divisé en compartiments, respectant le principe des lieux simultanés : côté jardin, la maison du drapier ; côté cour, la maison de Pathelin ; sur le proscenium, le siège du Juge. Des effets spéciaux d'éclairage soulignaient les déplacements des personnages. Cette simplicité et cette rigueur ne surprennent pas, quand on se rappelle que J. Copeau, dans *Un essai de rénovation dramatique*, prônait le retour du tréteau nu et rejetait toute machinerie, contre le décor réaliste de la Comédie française et toute volonté de reconstitution historique. Aussi avions-nous, selon Jean-Claude Marcus (p. 17) « une scène de pierre vide, rehaussée par un praticable haut de quelques marches, formant par rapport au proscenium un nouveau plan surélevé ; au fond, des arcades d'une grande simplicité constituent l'unique motif de décoration. R. Allard, dans ses *Notes*, ajoute que la boutique du drapier peut très bien n'être qu'une installation foraine. Il faut un lit (de préférence à rideaux à cause des jeux de scène), plusieurs pièces de drap de couleurs vives, un fauteuil pour le juge (ce sera en fait un tabouret) ». Dans la scène du jugement, le juge est au centre, le drapier à sa droite, Pathelin à sa gauche, le berger assis sur les marches du praticable.

Copeau exploita toutes les ressources comiques du texte, qu'il traite à la manière de la commedia dell'arte, utilisant mouvements et symboles, à la recherche constante du burlesque, dans le jeu des acteurs (L. Duboscq-Pathelin exécutait de nombreuses cabrioles) comme dans les costumes : Guillemette portait une longue jupe d'un épais molleton jaune, le ventre enflé par un fort bourrage.

1931. GUSTAVE COHEN fait jouer à Saint-Chaffrey, près de Briançon la *Farce de Maître Pierre Pathelin*, en reprenant les conventions scéniques du Moyen Age, c'est-à-dire le décor simultané. Pour lui, la farce ne peut se concevoir sans la juxtaposition sur l'échafaud de la boutique du drapier à la foire, de la maison de l'avocat et du tribunal qui se réduira à un siège sur la place publique. Cohen se situait, par l'intermédiaire de L. Chancerel, dans le sillage de Copeau.

1937. Ce pionnier des études médiévales à la Sorbonne et du théâtre universitaire, qui s'est toujours interrogé sur la réception par le public moderne des grandes œuvres théâtrales du Moyen Age, a beaucoup parlé de *Pathelin*[1], sans traduire ni éditer lui-même la farce. Surtout, ses Théophiliens (appelés ainsi du nom de leur premier spectacle, *Le Miracle de Théophile*) ont joué la pièce les 6 et 7 mai 1937 dans une adaptation de G. Cohen lui-même et une mise en scène de Maurice Jacquemont. Retour constant au texte ancien, suivi de près, exception faite de quelques mots vieillis. De cette adaptation fut tiré le livret d'un opéra comique en un acte, créé le 26 juin 1948, *La Farce de Maître Pierre Pathelin*, musique d'Henry Barraud.

La farce prit donc place dans le riche répertoire des Théophiliens (1933-1950) :

— XIIe siècle : *Le Jeu d'Adam et Ève.*

— XIIIe siècle : *Le Miracle de Théophile* de Rutebeuf ; *Le Jeu de Robin et Marion*, d'Adam de la Halle ; *Aucassin et Nicolette* ; *le Dit de l'Herberie*, de Rutebeuf.

— XVe siècle : *La Passion des Théophiliens*, d'après les *Mystère(s) de la Passion* d'Arnoul Gréban et de Jean Michel (I. Marie-Madeleine ; II. Judas ; III. Notre-Dame) ; *la Farce de Maître Pathelin* ; *le Franc Archer de Bagnolet* ; *l'Aveugle et le Boiteux*, d'André de la Vigne ; *la Sotie des trois galants et Philipot* ; *la Farce de Maître Mimin.*

— XVIe siècle : *Abraham sacrifiant*, de Théodore de Bèze ; *la Condamnation de Banquet*, de

1. Voir sa bibliographie, dans les *Mélanges d'histoire du théâtre du Moyen Age et de la Renaissance offerts à Gustave Cohen*, Paris, Niget, 1950.

Nicolas de la Chesnaye ; *les Juives*, de Robert Garnier.
— Poésie : *le Miracle de la Veillée* (Divertissement sur des poèmes du Moyen Age).

1938. *La Farce des moutons*, de LÉON CHANCEREL, qui, après avoir collaboré avec Jacques Copeau de 1921 à 1924, avait fondé en 1929 la troupe des Comédiens routiers pour promouvoir le théâtre amateur et divertir le public populaire, sous la double influence de J. Copeau et de Baden-Powell, le fondateur du scoutisme. Son Théâtre scout itinérant parcourut la France dans le sillage de Firmin Gémier (Théâtre national ambulant) et d'Henri Ghéon qui, avec ses Compagnons de Notre-Dame, joua dès 1921, *le Pauvre sous l'escalier*, pour faire du théâtre catholique un théâtre populaire. Conseiller des Théophiliens de G. Cohen, L. Chancerel mit en scène *le Miracle de Théophile* en 1933.

Attiré par les spectacles de foire dont le rire « délivre et purifie », visant à retrouver la spontanéité de l'enfance dans un univers de vérité et de poésie, L. Chancerel pense que la farce, « proche de la danse, par le chemin du burlesque, peut atteindre à la poésie » (Avertissement à la *Farce du chaudronnier*, 1939). Selon Jean Cusson, dans *Un réformateur du théâtre, Léon Chancerel*, les comédiens « jouaient des farces sommaires, en partie improvisées, ou tout au moins composées sur le tréteau dans une intime collaboration du poète, du metteur en scène, de l'acteur, refaites et perfectionnées de répétitions en répétitions, de représentations en représentations, au contact du public, bâties sur des thèmes et des mécanismes traditionnels ».

La *Farce des moutons*, créée à Toulouse en 1941, puis représentée dans le Sud-Ouest, fut jouée en décembre 1945, au Studio des Champs Élysées, par des marionnettes, dans une réalisation d'Hubert Gignoux.

L'auteur veut surtout faire rire ; aussi évite-t-il tout archaïsme et écrit-il une version nouvelle, « particulièrement destinée aux écoles, aux lycées, collèges et groupements de jeunes amateurs » (*Préface*) ; aussi en use-t-il très librement avec l'original : il remplace Guillemette par un compère de Pathelin, proche du Sylvestre des *Fourberies de Scapin*. De la réduction de la farce à sept scènes dont la représentation n'excédait pas trente minutes, résulte un enchaînement plus vif des répliques. Voici deux exemples de cette liberté. La scène I est un dialogue entre Pathelin et Silvestre :

> *Pathelin* : Je te le dis, Silvestre. Moi, Pierre Pathelin avocat, je ferai ta fortune et le mienne.
> Et que je meure si, en moins d'un quart d'heure, je ne rapporte au logis de quoi tout d'abord, toi et moi nous vêtir proprement !
> La vêture est plus urgent.
> C'est l'habit qui fait le moine, quoi qu'on dise.
> Quelle couleur préfères-tu ?
> Gris, bleu, vert ou marron ?
> De quel drap ? De Bruxelles, d'Angleterre ou de Rouen ?
> Dites. Vous n'avez qu'à parler, mon ami.
> *Silvestre* : Nous n'avons ni sou ni maille.
> Qui nous baillera tout cela ?
> *Pathelin* : Mon génie !
> Disparais, voici ma dupe.

Le monologue de Guillaume, qui se flatte d'avoir dupé Pathelin, s'éloigne encore plus de l'original :

Quarante-trois francs l'aune. (*Il rit*). Une pièce que je croyais bien ne jamais pouvoir liquider. Je ne dis pas que c'est de la camelote. Non ! les Guillaume ne vendent pas de la camelote. Mais c'est ce qu'on appelle un rossignol.

Pourquoi appelle-t-on un rossignol une marchandise dépréciée ?

Je ne vois pas le rapport. Il est de ces usages dont on ne sait plus l'origine. On se perd dans la nuit des temps.

Rossignol... Rossignol...

(*Il chante et va vers la maison de Pathelin à petits pas rythmés par la musique*).

Rossignolet du bois joli,
Va-t-en porter à ma maîtresse
la plainte de mon cœur meurtri.
Dis-lui que je meurs de tendresse,
Rossignolet,
Rossignolet,
Rossignolet du bois joli. (*Petite pause*).
Je me sens un appétit terrible.

La mise en scène, fondée sur un jeu de rideaux, était destinée « à ramener parmi nous le goût de l'authentique opposé au procédé du trompe-l'œil, l'amour et le respect de la vérité opposé au vérisme, du réel opposé au réalisme ». Les costumes, inspirés du XVe siècle, avaient été tirés vers le registre farcesque, et Chancerel suggérait d'affubler le juge, l'Agnelet et Guillaume d'un front, d'un nez et de joues de carton pour leur donner un aspect clownesque.

Cette farce relevait à coup sûr du théâtre populaire tel que l'entendait L. Chancerel, c'est-à-dire d'« un art susceptible de rassembler, de toucher, d'émouvoir ou de faire rire, non une classe, mais toutes les classes qui composent un peuple ».

1941. DENIS D'INÈS propose à la Comédie française une adaptation dont il signe la mise en scène et interprète le personnage principal. Ce grand acteur comique, engagé dès 1914 par la Comédie française, sociétaire en 1920, doyen en 1945, qui se fit une grande réputation dans les rôles de George Dandin, d'Harpagon et du maître de danse du *Bourgeois gentilhomme*, avait interprété le rôle de Thibaud l'Agnelet lors de la première reprise de 1915. Sans doute voulait-il renouer avec sa jeunesse et permettre de se détendre en pleine guerre.

La pièce, qui ne dure que trente-six minutes, a donc subi de nombreuses coupures. S'il a conservé l'octosyllabe, il a supprimé difficultés linguistiques et mots crus. Il n'a gardé que les vers jugés les plus importants, et dès lors fidèlement respectés. Ainsi, des vers 13-27, il n'en reste que quatre :

Et pourtant il n'est au prétoire
Défendeur de sens plus notoire.
Je sais même avec notre prêtre
Chanter au lutrin comme maître.

Les vers 1153-1190 sont réduits à 17 :

Pathelin : Cela nuit à ta plaiderie !
Il faut user de madrerie ;
Voici ce qui te conviendra.
Si tu parles, on t'y prendra.
Or, quand viendra ton jugement,
A rien ne réponds nullement,
Sinon : Bée ! à quoi qu'on die ;
Et s'il advient qu'on te maudie
Pour te moquer de la justice,
Ah ! ferai-je alors, il est nice !
Et à moi-même, quelque chose
Que je te die ou propose,
Ne me réponds point autrement.

Berger: Je le ferai bien proprement.
Dites hardiment que j'affolle
Si je prononce autre parole
Hors bée ! que vous m'avez appris.

La longue scène de la mystification (500 vers) n'en contient plus que 167. Bref, la suppression de 670 vers, bien que Denis d'Inès eût écrit à Jean-Louis Vaudoyer, le 14 avril 1941 : « ... en suivant sur le texte original que j'ai respecté le plus possible, sans que le pittoresque et la saveur nuisent à sa compréhension (...) je me suis livré à un travail très serré qui (...) pourrait aboutir à la représentation non édulcorée que vous souhaitez ». S'il conserve le déroulement de l'intrigue et la physionomie des personnages, il ne respecte pas le langage, un des ressorts de la pièce, dont cette nouvelle version paraît bien affadie.

Denis d'Inès a tendu à tirer la pièce vers la comédie, plutôt que vers la farce, dont le rythme est cassé par les disparitions des acteurs en coulisse et par les changements de décor. Seuls quelques gags ressortissent à la farce : un bruit de crécelle cherche à effrayer le drapier dans la scène de la fausse mort ; après sa tirade en latin, Pathelin se met à quatre pattes et passe entre les jambes de Guillaume qui, en reculant, manque de tomber sur le lit.

Jean-Denis Malclès, à qui l'on doit le dispositif scénique[1], imagina les décors, très simples (des toiles peintes, tendues sur des châssis, dans lesquelles avaient été pratiquées des ouvertures ; une table, des tabourets, un lit) et des costumes très colorés pour

1. Voir les pages très précises de Jean-Claude Marcus, dans le travail mentionné ci-dessus, pp. 59-63.

rappeler les costumes du XVe siècle, qu'accompagnait une musique vive et gaie de Louis Beydts.

La pièce, créée le 27 octobre 1941 dans un ensemble de farces (puisqu'elle précédait *le Médecin volant* de Molière et *Feu la Mère de Madame* de Feydeau), fut jouée 26 fois en trois ans. Elle sera reprise le 9 mars 1954, et jouée alors 31 fois, dans un spectacle où *Pathelin* était précédé d'*Horace* de Corneille. L'accueil fut assez froid, tant du public que de la critique. Ainsi dans l'*Express* : « Le texte, malgré l'excellente adaptation de Denis d'Inès, est moins drôle que les manuels scolaires voudraient bien nous le faire croire. C'est le divertissement-type pour festivités sorbonnardes ». Robert Kemp, évoquant l'âge des acteurs (Denis d'Inès-Pathelin avait 69 ans), se demandait dans *le Monde* : « Qui sait si une jeune compagnie avec ses idées fraîches, la verdeur de ses jarrets, ne nous donnerait pas un *Pathelin* plus vivant, plus cocasse, plus truculent ? ».

1959. *La Farce de Pathelin* par le Théâtre dramatique de Zagreb.

Cette pièce, mise en scène par GEORGY PARO, ne connut pas tout de suite le succès, puisque, à sa création en 1958 à Dubrovnik, elle connut un échec total. Reprise le 18 novembre 1959, tirée vers le cirque par le jeu des acteurs, par les costumes, par les mouvements plus acrobatiques et moins réalistes, elle fut bien accueillie par la critique. Enfin, donnée de nouveau au festival d'été de Dubrovnik, dans une ambiance de fête, le succès populaire fut total. G. Paro avait choisi, pour présenter le spectacle, une place très pauvre et inclus les ramasseurs d'ordures qui habitaient aux alentours ; les enfants étaient autorisés à jouer durant le spectacle, le chiffonnier ivrogne du coin devait, comme à l'accoutumée, se battre avec sa femme, et Pathelin les calmait par des propos amusants.

G. Paro recourut à un dispositif scénique très simple. Au milieu du fond du plateau, un axe servait d'essieu à une grande roue en bois, située à deux mètres cinquante du sol. Sur la scène, aucun décor, sinon le lit très rudimentaire de Pathelin. L'action se déroulait toujours sur la totalité du plateau.

Chaque fois qu'un personnage se rendait chez l'autre, les changements de lieu étaient symbolisés par la fermeture du rideau de scène, et on suivait le cheminement du personnage sur le proscenium. Pendant son trajet, deux têtes clownesques apparaissaient, pour commenter l'action, dans l'entrebaîllement du rideau sur lequel on avait tracé des figures burlesques. Le jeu des comédiens rappelait le cirque par les grimaces, les costumes, les mimiques, les rapports avec le public. La roue centrale, qui rappelait l'élément circulaire de la piste, servait de tribune au juge, que Guillaume et Pathelin faisaient tourner à leur gré ; au pied, dans un carcan, Thibaud, figure même du benêt.

Au total, un bel échantillon de théâtre populaire, poétique et non réaliste.

1962. Le THÉÂTRE ANTIQUE DE LA SORBONNE donne *la Farce de Maître Pierre Pathelin.*

Cette troupe, qui visait à prendre la relève des Théophiliens de G. Cohen, s'était déjà essayé au théâtre médiéval, le 19 janvier 1962, avec *la Farce du Pauvre Jouhan* qui accompagnait une reprise des *Perses* d'Eschyle. *Pathelin*, modernisé par Jean Guilloineau et mis en scène par Maurice Jacquemont, devait constituer un spectacle complet médiéval.

Dans leur souci d'actualiser la pièce et leur refus d'en faire un divertissement scolaire, adaptateur et metteur en scène mirent l'accent sur l'explosion de vie et de bonne humeur, sur la consistance et la truculence des personnages, sur l'esprit satirique et la folie verbale, rapprochant la fin de *Pathelin* et celle de *Tueur sans gages* d'Ionesco, les bêlements du berger et les ricanements du tueur. J. Guilloineau soulignait dans le *Bulletin* n° 5 du *Groupe du Théâtre antique* que « Tout le génie de ces gens est dans leur langage, toutes leurs luttes, tous leurs combats se déroulent au niveau de la parole ». Ce dernier, tout en gardant la vivacité de l'octosyllabe, a utilisé un langage simple et moderne qui éclaire le texte : « Il s'agit d'adaptations pour la scène qui doivent être immédiatement comprises, l'auditeur n'ayant pas la possibilité qu'a le lecteur de s'arrêter, de revenir en arrière, voire même de consulter un dictionnaire ». Aussi n'y-a-t-il aucune obscurité de vocabulaire ni de syntaxe, quelquefois au détriment des jeux de mots ou des images de l'original, comme aux vers 554 (Hé ! mon Dieu, quel bavard vous faites !), ou 627 (On n'est plus rien entre leurs mains).

Le dispositif scénique de Maurice Jacquemont était fondé sur la mobilité, grâce à un praticable de 2 mètres 50 sur 3, disposé sur la scène du théâtre et monté sur des roulettes, que des machinistes faisaient tourner chaque fois que l'action impliquait un changement de lieu. Deux niveaux : une aire de jeu importante au premier plan et, en hauteur, une petite estrade longitudinale surplombée par un toit soutenu par quatre poutres d'où tombe, de chaque côté, un rideau.

Ainsi, au cours de la première scène, le rideau est fermé au maximum : Pathelin et Guillemette évoluent dans un décor constitué d'une table et de deux tabourets. Pathelin part pour la foire ; il descend du praticable et en effectue le tour complet de la gauche à la droite, pendant que les machinistes font pivoter le praticable sur lui-même dans le sens droite-gauche. Le drapier apparaît, ouvre largement les rideaux et commence l'installation de sa boutique : il est prêt lorsque Pathelin arrive côté jardin.

Ce sera le même principe tout au long de la représentation.

La scène du tribunal se déroule tous rideaux ouverts. Le juge est perché au sommet d'un escabeau drapé de rouge, avec, à ses pieds, le berger occupé à tailler son gourdin. De chaque côté du praticable est fixée une barre, destinée côté jardin à Pathelin et côté cour à Guillaume : c'est ainsi qu'est planté le décor d'une salle d'audience.

Ce dispositif mobile, qui introduit le mouvement, est lourd à manier et risque de distraire les spectateurs.

Les servants de scène, qui s'occupent du praticable, sont en pourpoint brun, une sorte de kimono serré à la ceinture. Pathelin, qui chez lui porte un justaucorps et un collant, enfile, pour sortir, un manteau à bordure de fourrure et à larges manches dont il joue. Le drapier, vêtu d'un manteau de couleur ocre, très ample, dont les pans traînent à terre, a, sur la tête, une toque de fourrure noire : c'est, selon Jean Guilloineau (*art. cité*, n° 5), l'image de « l'honnête et courageux commerçant qui a pignon sur rue... notable respecté, peut-être membre du rotary». Guillemette est semblable au personnage de l'édition Levet. Thibaud, coiffé d'un passe-montagne blanc, une peau de mouton serrée à la taille, les jambes enveloppées de lacets qui maintiennent ses espadrilles, tient à la main un énorme gourdin. Quant au juge, il se distingue par une ample robe de couleur pourpre et par une coiffe dont la longue cornette passe sous son menton, puis rejoint l'épaule. Ces costumes visent à suggérer l'atmosphère cossue d'un univers bourgeois :

« Ce que nous pouvons aisément remarquer dans les personnages, c'est que tous sont des voleurs et des truands. Du moins, c'est ce que l'on croit au premier abord. En fait, ce sont des gens comme tout le monde dont un aspect est grossi parce qu'ils sont sur le théâtre, mais nous rencontrons leurs semblables tous les jours. Le drapier n'est qu'un commerçant ; Pathelin n'est qu'un soi-disant intellectuel qu'une paresse crasse a mené aux expédients ; Guillemette n'est qu'une femme amoureuse et Thibaud un homme du peuple, miséreux, qui se défend comme il peut. Tous sont entraînés dans leurs mensonges et c'est plus le dernier du circuit que le plus malin qui gagne» (J. Guilloineau, *art. cité*, n° 5).

Cette pièce, une heure dix minutes de spectacle, fut jouée au Théâtre de la Cité universitaire les 15, 16, 17 et 18 mai 1962, puis au Théâtre Récamier, en Italie et en Allemagne, enfin diffusée par la télévision dans le cadre des émissions scolaires.

1963. *La Farce de Maître Pathelin* est représentée par le Théâtre de Champagne d'ANDRÉ MAIRAL, dans une mise en scène de JEAN MEYER.

1965. Un metteur en scène, WILLY URBAIN, et

un acteur, JEAN-CLAUDE MARCUS, s'associent pour monter la farce. S'ils sont persuadés que le spectateur est plus sensible à ce qu'il voit qu'à ce qu'il entend, au geste plutôt qu'au discours, ils ne méconnaissent pas l'importance du mot et de la versification ; aussi ont-ils voulu préserver la saveur des mots et privilégier leurs sonorités, maintenir l'étincelante versification, précieux adjuvant pour la recherche du rythme, bref, restituer la fantaisie verbale de l'œuvre : « Ils participaient par là à la frénésie de l'invention verbale de l'auteur et, d'autre part, ils stimulaient l'oreille du spectateur par l'impact sonore du mot » (*mémoire cité*, p. 96).

La mise en scène de W. Urbain, en réaction contre la représentation du Groupe antique de la Sorbonne, visait à procurer un plaisir sensitif, grâce à un rythme et à la fantaisie. Farce populaire, oui, mais non pas spectacle de foire, dans la mesure où Pathelin est le fruit d'une civilisation avancée. Il s'agissait de proposer une vision esthétique plutôt que satirique, fondée sur le rythme.

Le dispositif scénique refuse tout autant la mise en scène passivement simultanée que la lourde structure en bois du Théâtre antique. Aussi se sert-on d'un dispositif mobile dont voici la présentation par J. Cl. Marcus dans le mémoire cité (pp. 98-99).

« Le schéma nº 1 reproduit l'aire scénique la plus vaste, limitée au lointain par des arcades se découpant sur une toile de fond. Celle-ci représente un village dominé par un château symbolisant la conscience de toute une population qui va peser sur les personnages et leurs actes, et élément macrocosmique du décor. De chaque côté des arcades, qui servaient de passage du lieu scénique au village et auprès desquelles les acteurs trouveront refuge à leur sortie de scène, partent, de manière oblique, deux longs murs. Au jardin, il s'agit du mur extérieur de la boutique de Guillaume, à la coiur, de celui de Pathelin. Au milieu, c'est la place publique.

Avec le schéma nº 2, nous pénétrons à l'intérieur de la boutique du drapier qui maintenant déborde largement sur la place publique : les murs se sont ouverts. Le fonctionnement du mécanisme repose sur la présence d'un axe (I) sur lequel s'articulent un panneau fixe (A), non visible du public au schéma nº 1, et un panneau mobile (B) qui sert de point d'appui à l'étal (C) : ces deux derniers sont montés sur rails. L'ouverture de ces panneaux s'effectue avec l'aide de deux sergents dits « compagnons d'art en machinerie », sans aucun souci de réalisme. Les éléments A, B, C, forment le décor intérieur de la boutique, D restant fixe ainsi que la porte E. Seul le panneau B est décoré sur ses deux surfaces, et différemment selon qu'il s'agit de l'intérieur ou de l'extérieur.

Le même principe est utilisé côté cour, ainsi que nous le découvrons au schéma nº 3. L'extérieur de la maison de Pathelin est symétrique à celle du drapier. Il va s'ouvrir en pivotant autour de l'axe 0 ; à ce moment, deviennent visibles les panneaux fixes G et F. L'ensemble de la décoration évoque la chambre de Pathelin : face au public et fixé au panneau H avec lequel il tourne, se trouve le lit.

Tout en situant précisément les trois lieux principaux et en les différenciant, ce dispositif permet d'agrandir l'aire de jeu à la quasi-totalité du plateau, mais laisse aussi toute latitude au metteur en scène de varier les angles d'ouverture. Du même coup, celui-ci a trouvé la possibilité d'établir une dynamique qui

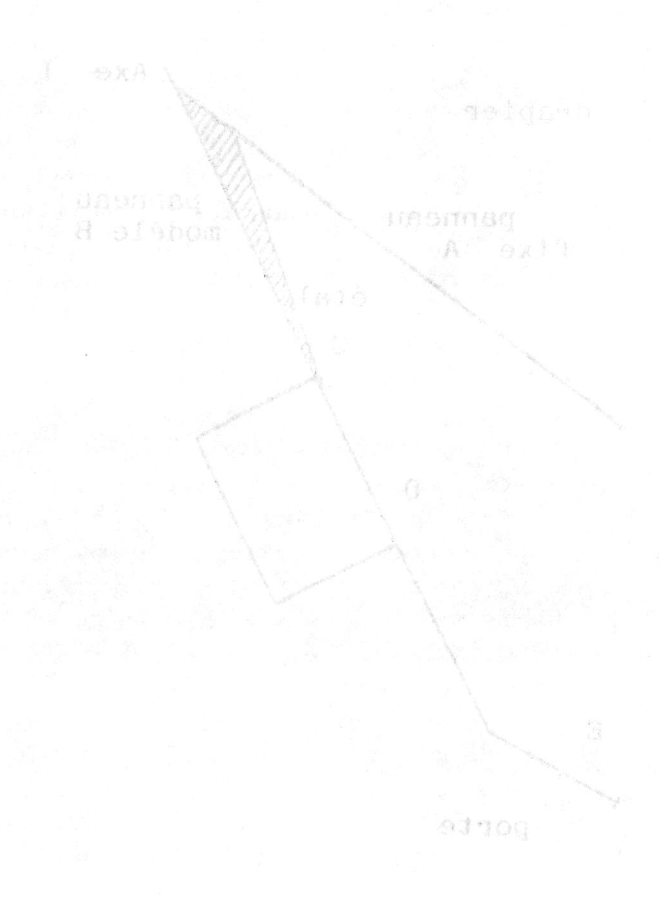

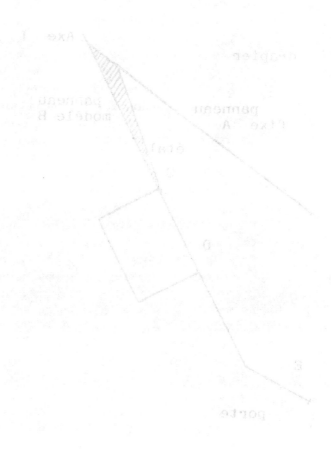

toile de fond

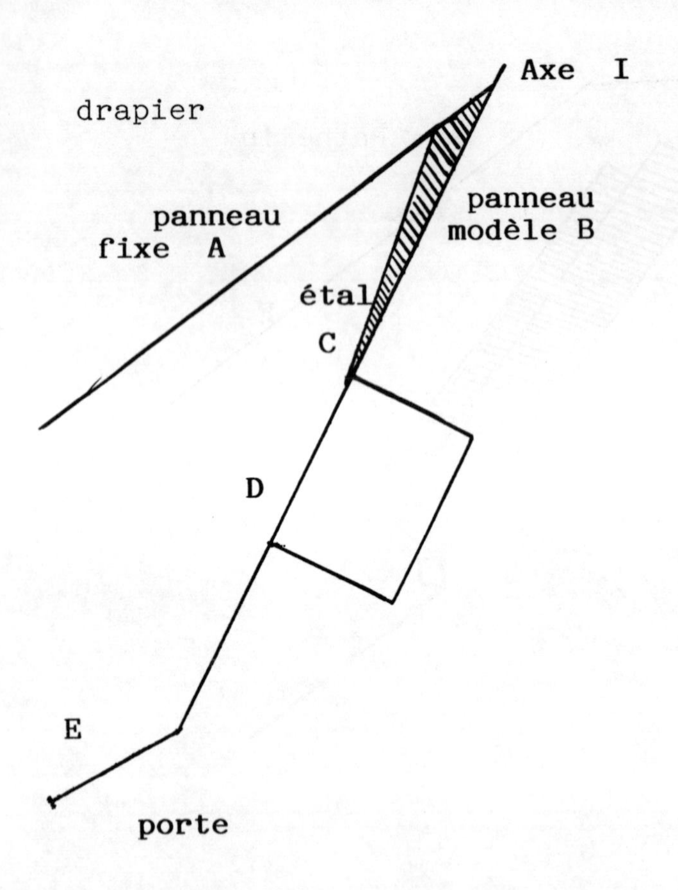

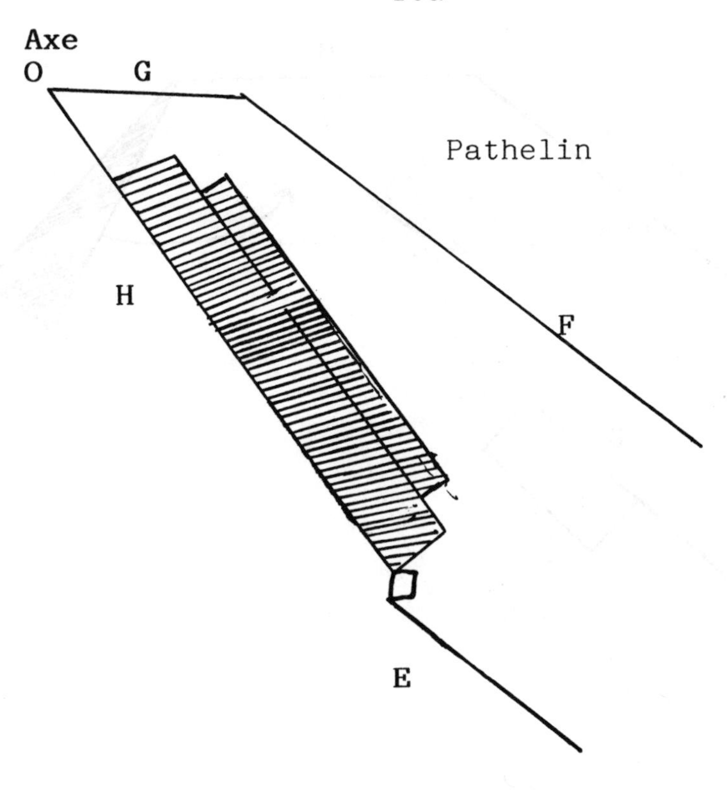

Mise en scène de Willy Urbain et Jean-Claude Marcus

schéma n° 1

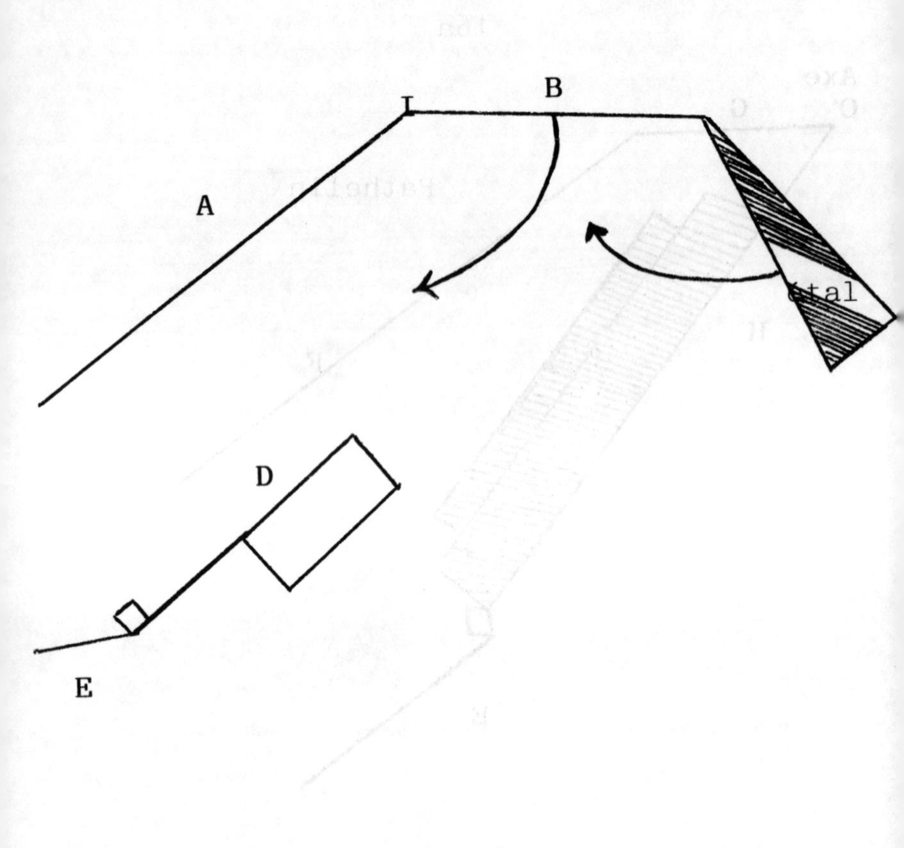
B
A
étal
D
E

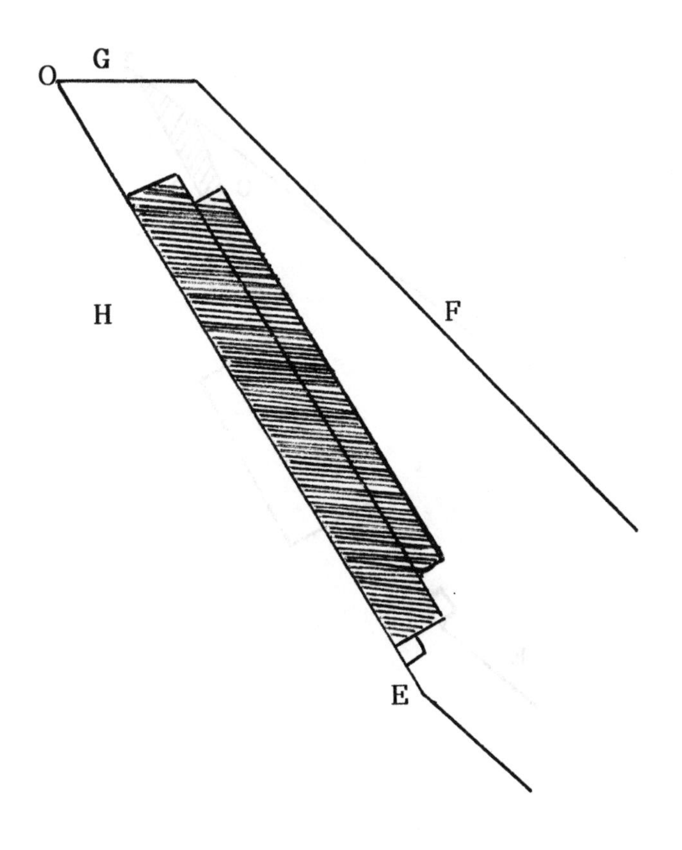

Mise en scène de Willy Urbain et Jean-Claude Marcus

schéma n° 2 :

chez le drapier

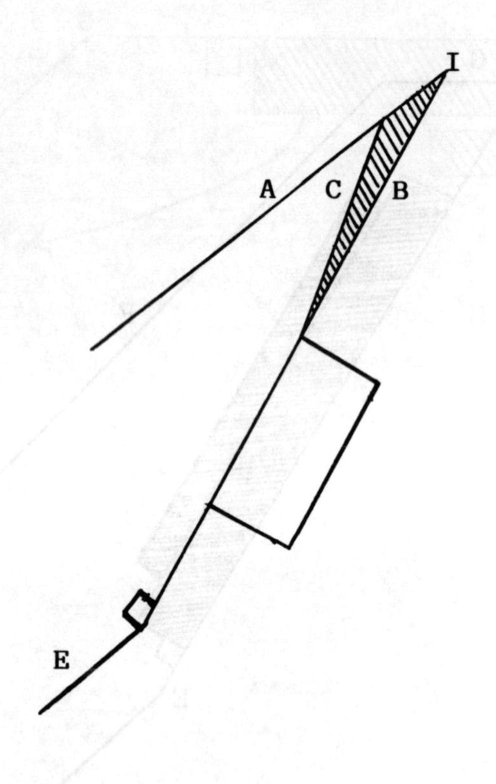
I
A
C
B
E

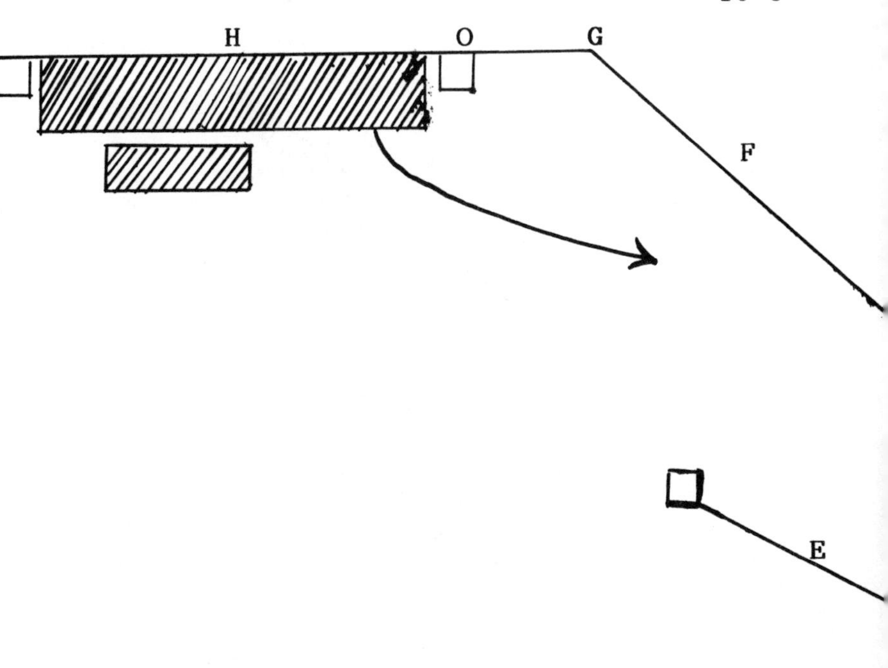

Mise en scène de Willy Urbain
et Jean-Claude Marcus

Schéma n° 3 :

chez Pathelin

anime la simultanéité en doublant sa puissance de continuité ».

Au lever du rideau, un petit ballet permettait de mettre en place tous les personnages, et tout au long de la représentation, des jeux de lumière isolaient les lieux scéniques.

Les personnages n'en sont pas moins originaux. Le drapier est un bourgeois épais, jouisseur, possessif, dont la face rougie indique un penchant à l'ivrognerie. L'aspect satanique de Pathelin est accentué par un maquillage blanc souligné de noir. Guillemette apparaît comme le personnage le plus inquiétant, le seul être contradictoire de la pièce : collaboratrice de son mari quand il y a péril, elle ne craint pas de s'opposer à lui ; elle le critique en l'admirant. Ils forment un couple d'aventuriers dont l'activité habituelle est de tromper. La tromperie est leur trait d'union, un facteur de réanimation ; de là, dans la scène V, la maîtrise de Guillemette. Par la personne du juge, pitre achetable et impatient d'aller dîner, l'auteur attaque la magistrature, tandis que le berger est une utilité sans épaisseur.

Ainsi se met en place une comédie qui vise à faire sentir la beauté du vers et le charme d'une époque.

1966. *La Farce de Maître Pierre Pathelin* est représentée par le Théâtre de Gennevilliers de BERNARD SOBEL.

1968. Le Théâtre des Yvelines, une compagnie professionnelle de six comédiens permanents, dont le siège social était situé à Mantes, reprend le spectacle du Groupe du Théâtre antique, *la Farce du Pauvre Jouhan* et *Pathelin*. Mais PIERRE ORMA a fait de cette dernière pièce, à partir de l'original, une adaptation en prose très libre qui n'a conservé du moyen français ni les tours syntaxiques ni les jurons, et qui est un traduction en français populaire comme le montrent aisément quelques exemples :

> vers 94-95 : Et faites-vous payer à boire, si vous trouvez Martin Couillon.
> vers 117 : Je tire le diable par la queue.
> vers 212 : C'est un drap pour Crésus.
> vers 308-310 : Que la vérole m'étreigne le ventre si vous vous donnez cette peine !
> vers 536-537 : Je veux bien me couper les bourses, si je n'ai neuf francs.

P. Orma a remplacé des répliques ; ainsi aux vers 921-930 ;

> Venez-vous-en, Monsieur l'Abbé.
> A vous je veux me confesser.
> Je m'accuse d'avoir volé
> Trois pots de confiture
> Et les avoir mangés.
> Je m'accuse d'avoir trompé
> Ma femme
> Avec la femme d'un mien ami
> Drapier.
> Je m'accuse d'avoir volé
> Tout un sabbat sur un balai.
> Je m'accuse d'avoir emportu
> Du dru à un drapiu
> Sans le payu. } bis

Il ajoute des chansons en vers libres, à fonction explicative, où la fantaisie se teinte de critique sociale. Ainsi, au début de la pièce, une voix off chante deux couplets, et Pathelin le troisième, tandis qu'on l'invective des coulisses en le traitant de « rapiécé », « dégueulasse ».

Plaie d'argent n'est pas mortelle,
Il suffit de la soigner.
Pour s'engraisser l'escarcelle
Sans rien faire ni travailler,
Il existe une manière,
Le plus simple des métiers ;
C'est de couper les lanières
Où pendent de bons goussets.
Maître Pierre Pathelin,
Avocat plein d'éloquence,
Vous qui êtes si malin,
Etes-vous donc en vacances
Que l'on vous voie si matin
Mal vêtu et vide panse ?
Vous avez l'air bien chagrin,
Maître plein de sapience.
Je n'ai plus un seul client,
Je n'ai plus de plaidoierie.
Vous me voyez mal content,
Car tous mes voisins s'en rient.
Moi toujours si éloquent,
C'est une vraie duperie.
Je n'ai plus un sou vaillant,
Je n'ai plus d'avocasserie.

Un récitatif remplace la fable du Corbeau et du Renard :

Ainsi va le monde, on parle, on flatte, on fait de grands discours,
Mais tout reste égal et le mal vient et le mal court.
L'État est le premier à nous dire que nous sommes bons Français et à nous décorer,
Pour mieux pouvoir nous berner, nous piquer nos écus et nous faire guerroyer.

Cette pièce se veut actuelle, sorte de fait divers, semblable à une escroquerie par chèque sans provision — drame de l'argent, satire du monde de l'argent et de la justice, elle aussi soumise aux puissances d'argent. Aussi Pierre Orma a-t-il réduit le côté farcesque et la scène du délire ; aussi a-t-il revêtu les comédiens de costumes modernes et insisté sur le mot *argent* dans la prononciation même des acteurs et par les commentaires chantés.

Il a essayé de garder l'équilibre entre le contenu social qu'il voulait souligner et la force comique de l'œuvre, à restituer. De là, pour cette seconde tâche, le rôle particulier du comédien dont P. Orma disait dans son programme : « Il doit jouer la comédie, parodier, chanter, danser. Et surtout rire, rire de son personnage, rire des autres, rire de tout ». Il faut édifier et faire rire. Ainsi dans la scène du tribunal :

« Nous voyons le juge arriver dans un castelet entièrement rouge dont le rideau de couleur pourpre est tiré. On ouvre le rideau de ce guignol en forme de palais de justice, on allume la petite lumière intérieure, et le public aperçoit le juge bouffi dont la face est peinte en rouge. Il dort. Soudain, telle une marionnette, il s'anime, se met à baver, puis déclare qu'il est pressé de s'en retourner. Dans le cours des débats, Pathelin et le drapier veulent prendre le juge à témoin, mais celui-ci, troublé une première fois dans son sommeil, a déjà fermé le rideau, obligeant les deux adversaires à le rouvrir eux-mêmes, et à le réveiller... Pour que la caricature soit achevée, sur le devant du castelet, une balance a été dessinée, dont l'un des plateaux penche : une bourse s'y trouve placée » (p. 90).

Le dispositif scénique demeure conventionnel : côté jardin, l'intérieur de Pathelin ; côté cour, la boutique du drapier ; au centre, la place publique où la scène du tribunal se déroulera. Trois lieux scéniques, caractérisés tous trois par la présence d'une potence, avec des jeux d'éclairage : blanc du côté jardin, rouge du côté cour. Les costumes contribuent à la caricature de la société : le drapier porte un riche manteau de laine, serré à la taille par une ceinture d'où pend une bourse qui revêt l'aspect d'un énorme sexe ; le juge tout en noir, mitaines noires, chapeau rond anglais de couleur noire. Aucun maquillage : seul le juge a la figure peinte en rouge.

La première représentation eut lieu à Loudun le mercredi 26 juin 1968.

1968. La San Francisco Mime Troupe donne la *Farce de Maître Pathelin*, dans une adaptation de RONNIE G. DAVIS et JAËL WEISMAN, à partir de la traduction américaine de J.M. French.

Ronnie G. Davis, comédien-danseur et théoricien du théâtre de guérilla, après avoir commencé par le mime, en vint à utiliser le bruit et la parole, à jouer de véritables pièces de théâtre, comme, en 1960, la première *Commedia dell'Arte*, *The Bowry* (à partir de Molière, de Goldoni et d'improvisations de comédiens), en 1963, *Ubu Roi*, l'*Exception et la règle* de B. Brecht et les *Fastes de l'Enfer* de Ghelderode..., tout en participant aux manifestations du Black Panther Party.

Pathelin fut, comme Ruzzante et Goldoni, utilisé par la troupe dans le sens de son engagement politique et social ; en effet, à cause des facilités d'adaptation et de la force corrosive du rire, la comédie lui apparaissait plus sérieuse que la tragédie ou le réalisme. Ce spectacle d'*agit-prop* était l'occasion d'entreprendre la satire du commerce, du libre-échange et du profit.

Si la structure et les personnages demeurent identiques, Guillemette, Guillaume et le juge ont pris les noms de Marie, Pantalone et II Dottore. Il s'agit, par la violence des expressions et l'actualité de nombreux propos, d'exaspérer le bon goût par la vulgarité. Ainsi Pathelin et Marie mêle-t-il les insultes les plus grossières aux plus tendres mots d'amour. Par exemple, dans la bouche de Pathelin :

> « Ma chère femme, si je ne rapporte pas assez de drap pour couvrir ta bosse, tu pourras me jeter au visage les déchets de ton cœur et me battre avec tes petites mains sèches de syphilitique... Ah ! mon amour, mon tendre oisillon de jeunesse...

ou cet échange de répliques :

> *Pathelin* : Espèce de pot de chambre !
> *Marie* : Espèce de chose dans un pot de chambre !

Pathelin résume ainsi la situation après son entretien avec le drapier :

> « Je l'ai tellement flatté qu'il ressemblait à un bifteck avarié arrangé à la sauce aux champignons. Son nez crochu s'est déroulé jusqu'à laisser tomber le tissu. »

La satire perce. Celle de la justice :

> *Pathelin* : Allez-vous pendre cet homme pour six ou sept moutons ?
> *Le juge* : Oui. Non. Je ne sais pas. Peut-être.
> (Puis avec une pièce il joue l'acquittement du berger à pile ou face : le berger est acquitté).

La scène se termine dans la plus grande confusion, tous les personnages faisant des bruits d'animaux. Ailleurs, Pantalone, qui a un père d'origine écossaise, appelle le berger *Ba-ba black sheep* (allusion au problème racial) et le juge a un accent irlandais.

R. G. Davis a utilisé le *cranky*, un cadre de bois dans lequel on fait passer, en tournant une manivelle, un rouleau de papier où sont écrits des commentaires sur l'action qui se déroule.

Dispositif scénique très simple. Les comédiens jouent devant une toile de fond sur laquelle sont dessinées de manière naïve maisons et boutiques. Pas de coulisses. Les personnages, quand ils ne sont pas en scène, restent de part et d'autre du plateau. Ils jouent dans le style de la commedia dell'arte et de la revue satirique. Ils portent les costumes de la comédie italienne du XVIe siècle et le demi-masque, sauf Marie-Pathelin en Polichinelle, le drapier en Pantalone, le juge en Docteur et le berger en Zani. Les costumes et le rideau ont le ton grisâtre d'une vieille gravure patinée.

Il s'agit donc, par cette représentation de la *Farce de Maître Pierre Pathelin*, de la satire sociale d'un monde mercantile corrompu, traitée dans le style d'une pantomime joyeuse et caustique[1].

1970. La mise en scène de JACQUES GUIMET[2] est une mise en scène engagée. Il ne s'est pas intéressé au dispositif scénique — il adopte le procédé conventionnel depuis Jacques Copeau, il situe Pathelin au jardin et Guillaume à la cour — mais surtout aux rapports entre les personnages et au milieu qui les a produits. Pour lui, la pièce est à considérer sous l'angle de

1. Voir Fr. Jotterand, *Le Nouveau Théâtre américain*, Paris, Le Seuil, 1970 (*Points*).
2. Dont la compagnie fut chargée du Théâtre de l'enfance, préfiguration de la Maisson de la Culture de la Seine Saint-Denis.

la dialectique entre le déterminisme social qui est tout-puissant, et la liberté.

Le spectacle commençait par un ballet de marionnettes géantes, dont chacune évoquait la Royauté, l'Église, la Misère, le Travail, l'Argent, la Guerre, la Mort, et qui ensuite, fixées au décor, délimitaient l'univers borné dans lequel les personnages allaient se mouvoir, sorte de barrière infranchissable contre quoi s'échouaient les désirs et les actes des individus mis en scène par l'auteur et représentatifs des divers types qui s'affrontent dans la vie sociale.

Cette vie est caractérisée par l'ennui. Pathelin, dont le visage fermé est terni d'un rouge sale, ressent profondément cet ennui qu'il s'applique à tromper par l'action. Guillemette se ferme au monde, cantonnée dans les petits travaux domestiques, sans rien à attendre ni à espérer. Femme mort-née, en tenue négligée, le maquillage blanc donne à sa personne une expression tragique ; mais elle participera à ce délire de puissance sordide qui a embrasé Pathelin. Le berger, mi-animal mi-homme, essaie d'échapper à sa condition : sa résignation et son instinct sont pour lui la plus sûre des parades. Le juge, par sa perruque blanche et son large chapeau, a une apparente dignité que sapent et ses accès de colère contre Guillaume et la bouteille de vin qu'il boit ; il s'amuse aussi aux dépens du drapier. Lequel est une sorte de Shylock tragique, vêtu d'une grosse bure, le teint gris, l'air inquiet. Ascète à la vie rude, petit bourgeois dur, violent envers le berger, âpre au gain, c'est un homme sincère dont la nécessité a réduit l'esprit à la dimension étroite de sa boutique, et qui finit par sombrer dans la folie.

Pour faire sentir le poids du déterminisme, le jeu des comédiens est distancié, outré, et ils jouent avec

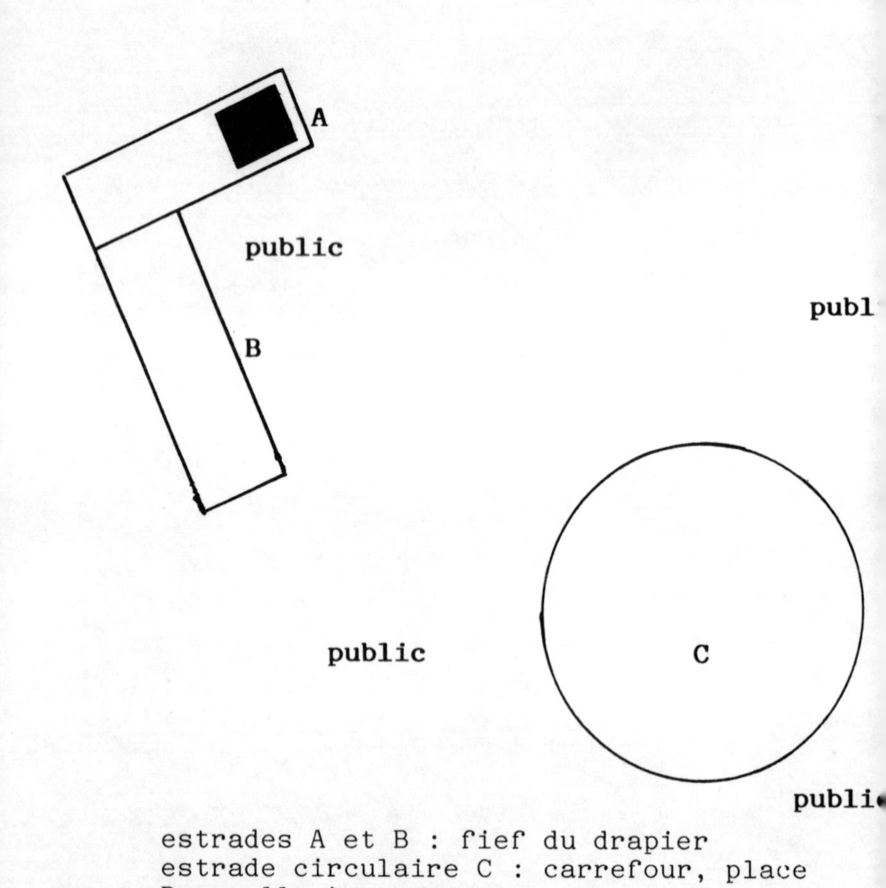

estrades A et B : fief du drapier
estrade circulaire C : carrefour, place
D : salle à manger
E . couloir
F . chambre
} de Pathelin

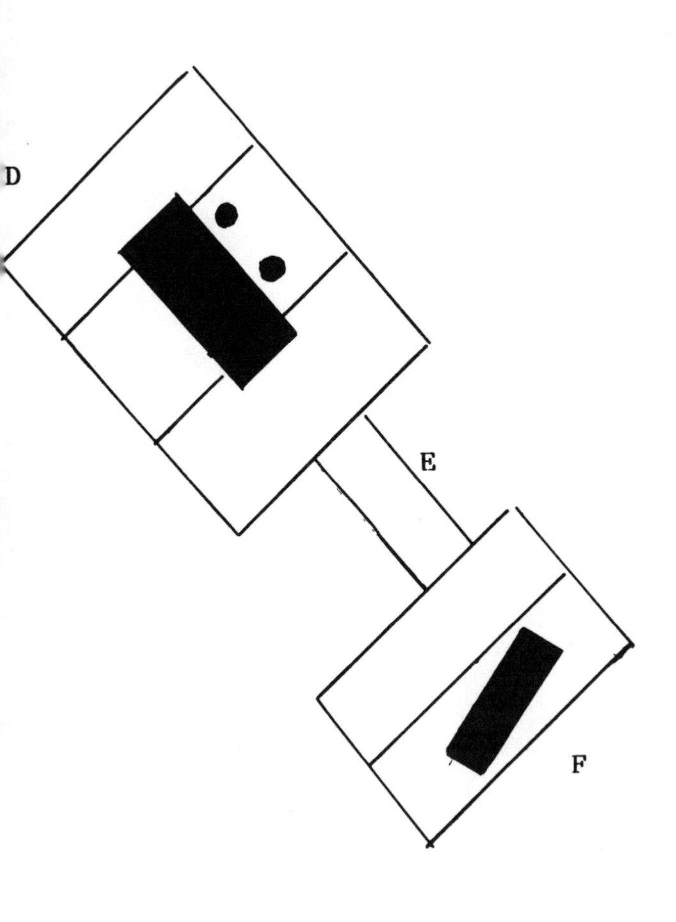

Schéma de la mise en scène de Jacques Bellay

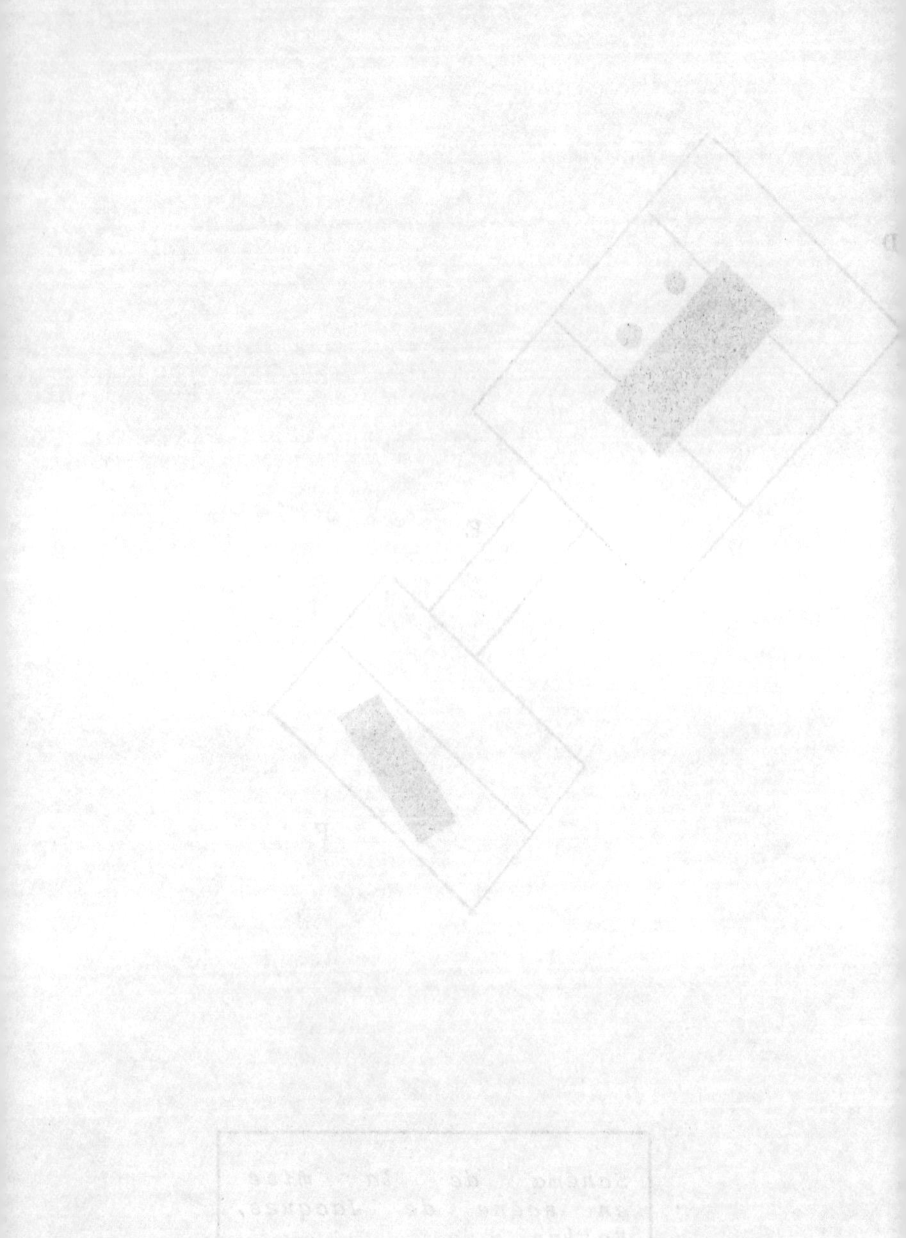

des objets qui ont valeur de signes : cuillère à soupe de Pathelin, ustensiles de cuisine de Guillemette, bâton de Guillaume... ; le vers, bien marqué, détache encore davantage l'acteur du personnage qu'il joue.

1970. La mise en scène de JACQUES BELLAY marque un retour à la farce[1] et le souci de manifester l'extraordinaire gaieté de la pièce, l'ambiance de fête, et de retrouver la spontanéité des acteurs médiévaux. Pour établir une complicité avec le public, J. Bellay a eu recours à divers moyens.

D'abord, à un dispositif scénique original : J. Bellay et D. Nadaud ont abandonné le théâtre à l'italienne, pour inclure le public dans l'aire scénique, conserver la simultanéité des lieux, accentuer la mobilité du jeu[2].

Ensuite, à une scène de foire, au moment où Pathelin annonce qu'il se rend au marché : arrivent, surgissant de toutes parts, le drapier, un troubadour, un bateleur, deux lutteurs, un présentateur ; chacun, en divers endroits, mêlé au public, chante, vante sa marchandise, combat, Pathelin allant de l'un à l'autre. Des textes en octosyllabes avaient été composés, ou adaptés, à leur intention.

L'octosyllabe jouait le rôle d'élément rythmique fondamental : eu égard à l'éparpillement des lieux, au foisonnement du public, au plein air, seules des sonorités éclatantes pouvaient réussir à s'imposer.

Enfin, pour que le public se laisse aller au rire, le metteur en scène avait soigné l'enchaînement des lazzis, se rapprochant du comique clownesque d'autant

1. Qu'appelaient, dans le texte lui-même, la cascade des ruses, le comique de mots et le burlesque du délire.
2. Voir le schéma ci-joint.

plus que les maquillages étaient outrés (pommettes rouges du drapier, nez et joues rouges du berger, face blanchie et bonnet d'âne du juge), que les costumes rappelaient ceux des sots et que le rond central évoquait la piste du cirque autour de laquelle Pathelin et le berger tournaient en sens contraire sous les yeux effarés du juge. J. Bellay avait aussi imaginé des sketches de clown : dans son délire, Pathelin tenait sur ses épaules le drapier qu'il faisait tournoyer avant de le déposer à terre ; le berger, pour approcher l'avocat, montait sur la table et se jetait à son cou ; à la fin du procès, juge, drapier et berger se retrouvaient à quatre pattes comme des moutons.

C'était donc le retour à la farce pure, à sa fantaisie débridée, à son rythme alerte, aux manifestations d'une extraordinaire vitalité.

Jean Dufournet

BIBLIOGRAPHIE

I. - Éditions

a) *éditions anciennes.*

Maistre Pierre Pathelin. Reproduction en fac-similé de l'édition imprimée vers 1485 par Guillaume Le Roy à Lyon, publiée par E. Picot, Paris, Société nouvelle de librairie et d'édition Cornély et Cie, 1907 (*Société des textes français modernes*).

Maistre Pierre Pathelin. Reproduction en fac-similé de l'édition imprimée en 1489 par Pierre Levet, publiée par R. T. Holbrook, Genève, Droz, 1953 (*Textes littéraires français*).

Maistre Pierre Pathelin hystorié. Reproduction en fac-similé de l'édition imprimée vers 1500 par Marion Malaunoy, veuve de Pierre Le Caron, préface d'E. Picot, Paris, F. Didot, 1904 (*Société des anciens textes français*).

b) *éditions modernes.*

Maistre Pierre Pathelin, texte revu sur les manuscrits et les plus anciennes éditions, avec une introduction et des notes, par F. Genin, Paris, 1854.

La Farce de Maistre Pathelin, éd. par F. Éd. Schneegans, Strasbourg, 1908 (*Bibliotheca romanica*).

Maistre Pierre Pathelin, farce du XVe siècle, publiée par R. T. Holbrook, Paris, H. Champion, 1924 ; 2e éd., 1937 ; nombreuses réimpressions (*Classiques français du Moyen Âge*).

Maistre Pierre Pathelin, texte établi et annoté par A. Pauphilet, dans les *Jeux et Sapience du Moyen Âge,* Paris, Gallimard, 1941 (*Bibliothèque de la Pléiade*).

Maistre Pierre Pathelin, édité par B. C. Bowen, dans ses *Four Farces,* Oxford, Blackwell, 1967 (*Blackwell's French Texts*).

La Farce de Maistre Pierre Pathelin..., par C. E. Pickford, Paris, Bordas, 1967 (*Les Petits Classiques Bordas*).

La Farce de Maistre Pathelin.., par G. Picot, Paris, Larousse (1972) (*Nouveaux Classiques Larousse*).

La Farce de Maistre Pathelin et ses continuations. Le Nouveau Pathelin et le Testament de Pathelin..., par J.-CL. Aubailly, Paris, CDU-SEDES, 1979 (*Bibliothèque du Moyen Âge*).

La Farce de Maistre Pierre Pathalin, texte établi et traduit par Jean Dufournet, Paris, Garnier-Flammarion, 1986.

c) *éditions du VETERATOR, adaptation latine de la farce.*

Veterator (Maistre Pathelin) und Advocatus, zwei pariser Studentenkomödien aus den Jahren 1512 und 1532..., par J. Bolte, Berlin, Weidmann, 1901.

Comedia nova que Veterator inscribitur, alias Pathelinus ex peculiari lingua in Romanum traducta eloquium, édité par Walter Frunz, Zurich, 1977.

II. - Traductions

Maître Pierre Pathelin. Farce du XVe siècle translatée en français moderne par O. Jodogne, Gand, Éd. Scientifiques E. Story-Scientia, 1975 (*Ktémata,* 2).

La Farce de Maître Pathelin, dans *le Théâtre comique du Moyen Âge,* par Cl. A. Chevallier, Paris, UGE, 1973 (Collection 10/18).

Voir aussi les éditions de G. Picot, de J.-Cl Aubailly et de J. Dufournet qui comportent une traduction.

III. - Études critiques

J.L. de Altamira, *La Vision de la mort dans Maître Pathelin,* dans *Dissonances,* I, 1977, pp. 119-130.

G. Antoine, *La Place de l'argent dans la littérature française médiévale,* dans *Mélanges... Jean Rychner,* Strasbourg, 1978, pp. 17-32 (*Travaux de linguistique et de littérature,* XVI, 1).

J.-Cl. Aubailly, *Le Théâtre médiéval profane et comique,* Paris, Larousse, 1975 (*Thèmes et textes*) ; *Les Procédés du comique, de Pathelin à Rabelais,* mémoire de maîtrise, Clermont-Ferrand, Institut de littérature française, 1964 ; *Le Monologue, le dialogue et la sottie. Essai sur quelques genres dramatiques de la fin du Moyen Âge et du début du XVIe siècle,* Paris, Champion, 1976.

A. Banzer, *Die Farce Pathelin und ihre Nachahmungen,* dans *Zeitschrift für französische Sprache und Literatur,* t. X, 1888, pp. 93-112.

P.E. Benett, *Le goupil, le corbeau et les structures de Maistre Pierre Pathelin,* dans *le Moyen Âge,* t. 89, 1983, pp. 413-432.

B.C. Bowen, *Les Caractéristiques essentielles de la farce française et leur survivance dans les années 1550-1620,* Urbana, 1964.

G. Bonno, *Réponse critique* (à Mario Roques), *dans Romanic Review,* t. XXIV, 1933, pp. 30-36.

J.-P. Bordier, *Pathelin, Renart, décepteurs et badins,* communication présentée au 3e Colloque international de Théâtre médiéval, Dublin, 9-12 juillet 1980.

E. Cazalas, *Où et quand se passe l'action de Maistre Pierre Pathelin,* dans *Romania,* t. LVII, 1931, pp. 573-577.

L.-E. Chevaldin, *Les Jargons de la farce de Pathelin, pour la première fois reconstitués, traduits et commentés,* Paris, Fontemoing, 1903.

G. Cohen, *Rabelais et le théâtre,* dans *Revue des Études rabelaisiennes,* t. IX, 1911, pp. 1-74 ; *Le Théâtre en France au Moyen Age,* II, *Le Théâtre profane,* Paris, 1931, pp. 78-98.

P. Conroy, *Old and New in French Medieval Farce,* dans *Romance Notes,* t. XIII, 1971, pp. 336-343.

L. Cons, *L'Auteur de la Farce de Pathelin,* Princeton University Press et Paris, PUF, 1926 (*Elliott Monographs in the Romance Languages and Literatures,* 17).

L.S. Crist, *Pathelinian Semiotics : Elements for an Analysis of Maistre Pierre Pathelin,* dans *l'Esprit Créateur,* t. XVIII, 1978.

L. Dauce, *L'Avocat vu par les littérateurs français,* Rennes, Oberthur, 1947, pp. 65-101.

J. Deroy, *François Villon, Coquillard et auteur dramatique,* Paris, Nizet, 1977, pp. 107-161.

G. Di Stefano, *Quale Pathelin ?* dans le *Moyen Français,* t. VII, 1980, pp. 142-153.

E. Droz, *L'Illustration des premières éditions parisiennes de la farce de Pathelin,* dans *Humanisme et Renaissance,* t. I, 1934, pp. 145-150.

O. Dubsky, *Deux contes populaires des Slaves du Nord en rapport avec le sujet de la Farce de Maître Pathelin,* dans la *Revue des traditions populaires,* t. XXIII, 1908, pp. 427-429.

M. Erre, *Langage(s) et pouvoir(s) dans la Farce de Maître Pathelin,* dans *Dissonances,* t. I, 1977, pp. 90-118.

W. H. W. Field, *The Picard Origin of the Name Pathelin,* dans *Modern Philology,* t. LXV, 1967, pp. 362-365.

A. Fischler, *The Theme of Justice and the Structure of la Farce de Maître Pierre Pathelin* dans *Neophilologus,* t. LIII, 1969, pp. 261-273.

S. Fleischman, *Language and Deceit in the Farce of Maistre Pathelin,* dans *Tréteaux,* t. III, mai 1981, pp. 19-27.

G. Fleuriot de Langle, *Les Sources du comique dans Maître Pathelin,* Angers, Imprimerie du Roi René, 1926.

G. Frank, *Pathelin,* dans *Modern Language Notes,* t. LVI, 1941, pp. 42-47 ; *The Medieval French Drama,* Oxford, 1954.

J. Frappier, *La Farce de Maistre Pierre Pathelin et son originalité* dans les *Mélanges... M. Brahmer,* Varsovie, PWN, 1967, pp. 207-217 ; article repris dans *Du Moyen Âge à la Renaissance, Études d'histoire et de critique littéraires,* Paris, Champion, 1976, pp. 245-259.

R. Garapon, *La Fantaisie et le comique dans le théâtre français du Moyen Âge à la fin du XVIIe siècle,* Paris, A. Colin, 1957.

F. Gegou, *Argot et expressions argotiques dans Maître Pierre Pathelin* dans *Actes du XIIIe Congrès international de linguistique et philologie romanes tenu à l'Université de Laval (Québec) du 29 août au 5 septembre 1971,* Laval, Presses de L'Université de Laval, 1976, pp. 691-696.

Ch. J. Guyonvarc'h, *Le Catholicon de Jehan Lagadeuc, Diction-*

naire breton-latin-français du XVe siècle, publié et édité avec une introduction par Christian-J. Guyonvarc'h, Rennes, Ogam-Tradition celtique, 1975. (« Le breton dans la farce de *Maître Pathelin* », pp. LV-LXII.)

P. Guiraud, *Le Testament de Villon ou le gai savoir de la Basoche,* Paris, Gallimard, 1970, pp. 185-189.

A. Hamilton, *Two Spanish Imitations of Maistre Pathelin,* dans *Romanic Review,* t. XXX, 1939, pp. 340-345.

H. G. Harvey, *The Judge and the Lawyer in the Pathelin,* dans *Romanic Review,* t. XXXI, 1940, pp. 313-333 ; *The Theatre of the Basoche. The Contribution of the law Societies to French Medieval Comedies,* Cambridge, Mass., 1941.

H. Hatzfeld, *Der Geist der Spätgotik in mittelfranzösischen Literaturdenkmälern,* dans *Idealistiche Neuphilologie. Festschrift für Karl Vossler,* Heidelberg, 1922, pp. 196-206.

R. T. Holbrook, *Maître Pathelin in the Gothic Editions by Pierre Levet and Germain Beneaut,* dans *Modern Philology,* t. III, 1905, pp. 117-128 ; *Pathelin in Oldest Known Texts. I. Guillaume Le Roy, Pierre Levet, G. Beneaut,* dans *Modern Language Notes,* t. XXI, 1906, pp. 65-73 ; *Le plus ancien manuscrit connu de Pathelin,* dans *Romania,* t. XLVI, 1920, pp. 80-103 ; *The Harvard Ms. of the Farce of Maistre Pathelin and Pathelin's Jargon,* dans *Modern Language Notes,* t. XX, 1905, pp. 5-9 ; *Étude sur Pathelin, essai de bibliographie et d'interprétation,* Baltimore, John's Hopkins Press et Paris, Champion, 1917 (*Elliott Monographs in the Romance Languages and Literatures,* 5) ; *Pour le commentaire de Pathelin,* dans *Romania,* t. LIV, 1928 ; *Commentaires lexicologiques sur certaines locutions françaises médiévales,* dans les *Mélanges... A. Jeanroy,* Paris, Droz, 1928, pp. 181-189 ; *Guillaume Alecis et Pathelin,* Berkeley, University of California Press, 1928 ; *La Paternité de Pathelin : critiques et réponses. La première réfutation logique du calcul des probabilités appliqué à la solution du problème,* dans *Romania,* t. LVII, 1932, pp. 574-599 ; *Exorcism With a Stole. Illustrated by Examples in the Farce of Maistre Pathelin, in Li Jus Adam and in the Fabliau Entitled Estula,* dans *Modern Languages Notes,* t. XIX, 1904, pp. 235-237, et t. XX, 1905, pp. 111-115.

U. T. Holmes, *Les Noms de saints invoqués dans le Pathelin,* dans *Mélanges... G. Cohen,* Paris, Nizet, 1950, pp. 125-129 ;

Pathelin, 1519-1522, dans *Language Notes,* t. LV, 1940, pp. 106-108.

O. Jodogne, *Notes sur Pathelin,* dans *Festschrift W. v. Wartburg,* Tübingen, 1968, pp. 431-441 ; *Rabelais et Pathelin,* dans *Lettres romanes,* t. IV, 1955, pp. 3-14.

L. Jordan, *Zwei Beiträge zur Geschichte und Würdigung des Schwanks vom Advokaten Pathelin,* dans *Archiv,* t. CXXIII, 1909, pp. 342-552.

D. Klein, *A Rabbinical Analogue to Pathelin,* dans *Modern Language Notes,* t. XII, 1907, pp. 12-13.

A. E. Knight, *Aspects of Genre in late medieval French Drama,* Manchester University Press, 1983.

H. Kuen, *Was ist ein Blanc prenable (Pathelin, 774) ? Die Bestimmung der aktualisiserten Bedentung durch den nättern und den weiteren Kontext,* dans *Philologica Romanica...,* Munich, Fink, 1976, pp. 289-293.

R. Lebègue, *Le Rôle de Comicus dans le Veterator,* dans les *Mélanges... R. Guiette,* Anvers, de Nederl. Boekhandel, 1961, pp. 195-201 repris dans *Études sur le théâtre français,* I, *Moyen Âge et Renaissance,* Paris, Nizet, 1977, pp. 119-126 ; *Le Théâtre comique en France de Pathelin à Mélite,* Paris, Hatier, 1972 (*Connaissance des Lettres,* 62).

R. Lejeune, *Pour quel public la farce de Maître Pierre Pathelin a-t-elle été rédigée ?,* dans *Romania,* t. LXXXII, 1961, pp. 482-521 ; *Le Vocabulaire juridique de Pathelin et la personnalité de l'auteur,* dans les *Mélanges... R. Guiette,* Anvers, de Nederl. Boekhandel, 1961, pp. 185-194.

P. Lemercier, *Les Éléments juridiques de Pathelin et la localisation de l'œuvre,* dans *Romania,* t. LXXIII, 1952, pp. 200-226.

H. Lewicka, *Pour la localisation de la farce de Pathelin,* dans *Bibliothèque d'Humanisme et Renaissance,* t. XXIV, 1962, pp. 273-281 ; *Études sur l'ancienne farce française,* Varsovie, PWN, et Paris, Klincksieck, 1974 (*Bibliothèque française et romane de l'Université de Strasbourg,* série A, 27).

D. Maddox, *Semiotics of Deceit. The Pathelin Era,* Lewisburg, Bucknell University Press, et Londres-Toronto, Associated University Presses, 1984 ; *The Morphology of Mischief in Maistre Pierre Pathelin,* dans l'*Esprit Créateur,* t. XVIII, 1978.

Ch. Marchello-Nizia, *Histoire de la langue française aux XIVe et XVe siècles,* Paris, Bordas, 1979.

J.-Cl. Marcus, *Adaptations et mises en scène contemporaines de la farce de Maître Pierre Pathelin,* mémoire de maîtrise, Paris III, Institut d'Études théâtrales, 1970, 2 vol.

M. Martin et M. Wilmet, *Syntaxe du moyen français,* Bordeaux, Sobodi, 1980.

R. Ménage, S. Amacher et C. Poirot, *Les Techniques théâtrales dans la Farce de Maître Pathelin,* dans *Recherches et travaux de l'Université de Grenoble,* UER des Lettres, bulletin nº 17, 1978, pp. 51-61.

Ch. Nyrop, *Observations sur quelques vers de la Farce de Maître Pierre Pathelin,* dans le *Bulletin de l'Académie royale du Danemark,* 1900, pp. 331-367.

Th. E. Olivier, *Some Analogues of Maistre Pathelin,* dans *Journal of American Folklore,* t. XXII, 1909, pp. 395-430.

Ch. Oulmont, *Sur un exemplaire de Pathelin annoté par Sainte-Beuve,* dans *Bulletin du Bibliophile,* 1908.

J. Parmentier, *Le Henno de Reuchlin et la farce de Maistre Pierre Pathelin,* Paris, Leroux et Poitiers, Blanchier, 1884.

G. Z. Patrick, *Étude morphologique et syntaxique des verbes dans Maistre Pierre Pathelin,* Thèse de Berkeley, University of California Publications in Modern Philology, t. VIII, 1924, pp. 287-379.

J.-Ch. Payen, *La Farce et l'idéologie : le cas de Maître Pathelin,* dans le *Moyen Français,* t. 8-9, 1981, pp. 7-25.

E. Philipot, *Remarques et conjectures sur le texte de Maistre Pierre Pathelin,* dans *Romania,* t. LVI, 1930, pp. 558-584.

S. Prato, *La Scène de l'avocat et du berger. La farce de Maître Pierre Pathelin dans les rédactions littéraires et populaires. Essai de novellistique comparée,* dans la *Revue des Traditions populaires,* t. IX, 1894, pp. 537-552.

F. Rauhut, *Fragen und Ergebnisse der Pathelin-Forschung,* dans *Germanisch-romanische Monatsschrift,* sept.-oct. 1931, pp. 394-407 ; *Die Kunst des Dialogs in der Exposition des Maistre Pierre Pathelin,* dans *Zeitschrift für romanische Philologie,* t. LXXXI, 1965, pp. 41-62. *Er Klärungsbedürftige Stellen im Maître Pierre Pathelin, Ibidem,* t. XCVIII, 1981, pp. 259-278.

B. Rey-Flaud, *La Farce ou la machine à rire. Théorie d'un genre dramatique, 1450-1550,* Genève, Droz, 1984 (*Publications romanes et françaises,* CLXVII).

M. Roques, *Notes sur Maistre Pierre Pathelin,* dans *Romania,* t. LVII, 1931, pp. 548-550 ; *Références aux plus récents commentaires de Maistre Pierre Pathelin,* Paris, CDU, 1942 ; *D'une application du calcul des probabilités appliqué à un problème d'histoire littéraire,* dans *Romania,* t. LVIII, 1932, pp. 88-99 ; compte rendu de Louis Cons, *L'Auteur de la farce de Pathelin,* dans *Romania,* t. LIII, 1927, pp. 569-587.

M. Rousse, *Pathelin est notre première comédie,* dans les *Mélanges... P. Le Gentil,* Paris, SEDES, 1973, pp. 753-758 ; *Le Rythme d'un spectacle médiéval : Maître Pierre Pathelin et la farce,* dans *Missions et démarches de la critique (Mélanges J. A. Vier),* Paris, Klincksieck, 1974, pp. 575-581 (*Publications de l'Université de Haute-Bretagne*) ; *Pour une histoire de la farce, XIIe-XVIe siècles,* thèse de doctorat d'État soutenue à Rennes en 1983, 5 vol.

B. Roy, *Maître Pathelin, avocat portatif,* dans *Tréteaux,* t. II, mai 1980, pp. 1-7 ; *Triboulet, Josseaume et Pathelin à la cour de René d'Anjou,* dans le *Moyen Français,* t. 7, 1980, pp. 7-56.

V.-L. Saulnier, *Rabelais et les provinces du Nord,* dans *la Renaissance dans les provinces du Nord,* Paris, CNRS, 1956, pp. 124-142.

K G. A. Schaumburg, *Die Farce Pathelin und ihre Nachahmungen,* Leipzig, F. Maske, 1887 ; *La Farce de Pathelin et ses imitations,* avec un supplément critique de A. Banzer-Traduit, annoté et augmenté par L. E. Chevaldin, Paris, Klincksieck, 1889.

J. Schumacher, *Studien zur Farce Pathelin,* Rostock, C. Hinstorff, 1910.

E. Staaff, *Contributions au commentaire de Maistre Pierre Pathelin,* dans *Studier i modern Sprakvetenskap utgivna av Nyfilologiska Sälskapet i Stockholm,* t. XII, 1934, pp. 159-172.

E. Vaucheret, *Références au sacré dans les farces des XVe et XVIe siècles,* dans *Romania,* t. C, 1979, pp. 223-256.

A. Vogt, *La Farce de l'Avocat Pathelin. Ein Beitrag zur französischen Metrik,* 1881.

P. Voltz, *La Comédie,* Paris, A. Colin, 1964, (*Collection U*).

J. Wathelet-Willem, *Un blanc prenable, Pathelin, vers 774* dans *Études de langue et littérature françaises offertes à André*

Lanly, Nancy, Publications de l'Université de Nancy II, 1981, pp. 385-391.

IV. - Bibliographies

Robert Bossuat, *Manuel bibliographique de la littérature française du Moyen Âge,* Melun, d'Argences, 1951, suppléments (en collaboration avec J. Monfrin) en 1955 et 1961.
R. Rancœur, *Bibliographie de la littérature française du Moyen Âge à nos jours,* Paris, A. Colin, à partir de 1953.
O. Klapp, *Bibliographie der französischen Literaturwissenschaft,* Francfort-sur-le-Main, V. Klostermann, à partir de 1960.
H. Lewicka, *Bibliographie du théâtre profane français des XVe et XVIe siècles,* Paris, CNRS, et Varsovie-Wroclaw-Cracovie-Gdansk, 1980.

COMPLÉMENTS

M. L. Radoff, *«Tout craché» and «cher comme cresme»,* dans *Modern Language Notes,* t. 53, 1938.
K. Urwin, *Pathelin «chaude teste» and Guillemette's role in the farce,* dans *Medium Aevum,* t. 13, 1924, pp. 18-21 ; *Pathelin «pendable»,* dans *Modern Language Review,* t. 47, 1947, pp. 359-361.

Jean Dufournet

TABLE DES MATIERES

Imprimé en Suisse